PHILIPPE BEAUSSANT

HÉLOÏSE

r

nrf

GALLIMARD

Il a été tiré de l'édition originale de cet ouvrage vingt-cinq exemplaires sur vélin pur chiffon de Lana numérotés de 1 à 25.

A ma naissance, Monsieur, ma mère m'a donné le nom d'Héloïse. Vous souriez ? Si... Si... J'ai vu votre sourire dans vos yeux... Je vous entends comme si vous parliez à haute voix : pauvre fille, vieille fille de surcroît, affublée d'un nom si prétentieux, si saugrenu, si... littéraire. Eh bien, Monsieur, vous vous trompez. Il y a des gens qui n'aiment pas leur nom : pas moi. Il y a même des gens qui en changent, et c'est ce que je ne puis concevoir. C'est comme si on changeait de nez. Le nom qu'on porte, c'est soi. Héloïse, c'est moi. Nos parents nous ont donné cela en même temps que la forme de notre nez, et nous n'y pouvons rien faire. C'est injuste, si l'on y songe. Mais moi, j'aime mon nom, et je vais vous dire pourquoi. Monsieur, j'avais six ans lorsque mourut Rousseau, et parmi les gens de mon âge, on ne compte pas les Jean-Jacques, les Emile, les Julie, les Sophie, enfin ceux qui portent le nom des personnages qui peuplent ses ouvrages. S'il n'y a pas beaucoup d'Héloïse (peut-être suis-je la seule?) c'est seulement qu'il n'y avait pas beaucoup de femmes qui fussent aussi délicieusement folles, aussi doucement candides, que le fut ma mère. Et moi qui ne suis rien, voyez : une vieille femme dans son fauteuil auprès de cette fenêtre, moi dont la vie n'est rien, ne sert à rien, je ne suis rien d'autre qu'un souvenir, une trace, une relique des rêves qui furent, il y a soixante ans, ceux de ma mère. Voyez-vous, Jean-Jacques Rousseau avait pour ainsi dire transfiguré l'acte d'enfanter. Je sais bien que c'est une illusion, et que les mères ont mis leurs enfants au monde pendant des siècles avec la même joie, le même étonnement, mêlés à leurs souffrances. Je veux dire que dans l'âme des femmes qui avaient lu ses livres, qui avaient pleuré d'émotion (oui, oui, Monsieur, on pleurait, j'ai pleuré...), il avait introduit un sentiment tout nouveau et très tendre, de la vie, du monde, des choses. C'était comme si tout allait devenir plus beau, plus transparent. C'était comme si la laideur et le mensonge allaient disparaître du cœur des hommes. Comprenez-vous pourquoi on m'a appelée Héloïse? Tout était en train de devenir limpide. Plus rien n'existerait qui ne vienne du cœur. Les enfants qui naissaient ne connaîtraient plus rien d'injuste, ni de laid ni de vil. Surtout rien de vil. Nous savions par cœur *Le Vicaire savoyard* et *L'Emile,* nous récitions les lettres de Julie, nous pleurions. Je dis « nous », car je n'ai jamais connu autre chose : croiriez-vous, Monsieur, que j'ai appris à lire, à l'âge de cinq ans, qu'on m'a appris les lettres de l'alphabet dans des pages de *La Nouvelle Héloïse* ? Je suis entrée dans ce monde-là, celui dont je porte le nom, avant même de savoir penser. Héloïse, c'était moi. J'ai été élevée comme une enfant de Julie : Julie, c'était ma mère — mes mères, car j'en eus deux à la vérité, aussi folles l'une que l'autre, et cette sorte de dédoublement en deux jeunes femmes, qui toutes deux se retrouvaient dans l'héroïne d'un roman et s'y confondaient, est bien la chose la plus étrange qui soit. Et moi, l'enfant de Julie, je n'ai jamais été destinée à autre chose qu'à devenir Julie moi-même.

Ma mère était la compagne quotidienne et inséparable de celle que je continue à appeler « Madame », bien qu'elle soit morte depuis près de quarante ans et qu'il n'y ait pas de mot pour dire ce qu'elles étaient l'une à l'autre. Ma mère était la suivante, la femme de chambre, la compagne, la confidente, la lectrice, l'amie, la sœur. Madame était la maîtresse, la comtesse, et aussi la confidente, l'amie, la sœur. Il y avait entre elles ce qu'on appelait la barrière de la naissance, qu'aucune d'elles, je pense, n'aurait songé à outrepasser : mais cette infranchissable limite, qui fait qu'aujourd'hui encore elle est pour moi « Madame », n'empêchait rien qui pût venir du cœur.

11

Il est vrai que la maîtresse et la suivante étaient véritablement sœurs : sœurs de lait. Je n'ai pas connu celle qui avait été leur mère nourrice, comme on disait, et qu'elles avaient sucée l'une et l'autre. Mais mon enfance s'est passée aux côtés d'un bon vieillard qui avait été son compagnon, et que Madame avait fait venir auprès d'elle quand il avait été veuf. C'était son père nourricier en même temps que celui de ma mère. Je l'appelais grand-père. Madame l'avait logé au château et il passait la moitié de sa vie dans la chambre où nous jouions. Ma mère l'appelait papa. Madame l'appelait aussi papa et je me la rappelle faisant avec lui sa partie de mistigri quand il avait mal à la jambe et ne pouvait sortir. Il nous fabriquait des jouets en bois et nous menait à la promenade. Il attelait un petit cheval jaune et nous conduisait dans sa ferme, où vivait maintenant sa fille Victorine avec une tribu de petits enfants, et où l'on nous régalait de crème et de fruits. Ainsi, j'ai eu deux mères. J'appelais l'une Maman ; elle me soignait, me nourrissait, me couchait, me berçait ; et je nommais l'autre Madame : elle me berçait aussi, me brodait des bonnets, et c'est elle qui m'a appris à lire mes lettres dans Rousseau. A vrai dire, elles m'avaient aussi nourrie toutes les deux, puisqu'on m'a raconté qu'elles échangeaient leurs nourrissons, et que j'étais allaitée par Madame lorsque ma mère donnait le sein au petit Jean-Jacques. Car le fils de Madame s'appelait naturellement Jean-Jacques. Il avait exactement mon âge. Nous avons tété ensemble, joué ensemble, étudié ensemble et, de même que nos mères ne se quittaient jamais, nous ne nous sommes jamais séparés, fût-ce une heure, jusqu'à ce qu'il eût treize ans et partît au collège. Son départ fut la première grande peine de ma vie, et par conséquent l'événement qui devait en déterminer toute la suite.

C'est alors que je devins Julie à mon tour, mais d'une manière que n'avaient sans doute pas imaginée mes deux imprudentes mères. Qu'avaient-elles donc pensé qu'il adviendrait ? J'avais un compagnon de jeu, on me l'enlevait. J'avais treize ans et l'on avait fait en sorte que je connusse par cœur des choses que je peux encore vous réciter : *Je parcours cent fois le jour les lieux où nous habitions ensemble, et je ne t'y trouve jamais... Tous les objets que j'aperçois me portent quelque idée de ta présence pour m'avertir que je t'ai perdu...* J'avais appris à lire avec ces mots-là. Qu'aurais-je pu faire d'autre que de me les réciter tout le jour en pleurant ? Jean-Jacques serait demeuré parmi nous, peut-être fût-il resté ce qu'il était pour moi jusqu'alors : mon compagnon, le fils de Madame. Mais l'absence fit son office, et d'un jeune camarade de jeu, d'étude, de musique, du fils de mes maîtres, le jeune comte, elle fit l'amant lointain d'une petite fille de treize ans. J'étais encore bien jeune pour ce rôle, bien innocente : mais on m'avait inculqué

13

tous les détails de mon personnage. J'avais été élevée avec les phrases toutes prêtes dans ma mémoire, mûres à point pour éclore aussitôt que les circonstances me feraient connaître leurs sens : *Dis-moi, mon ami, mon doux ami : sens-tu combien un cœur languissant est tendre, et combien la tristesse fait fermenter l'amour ?* Je savais tout par cœur, il suffisait qu'on m'en donnât l'emploi : et justement on me l'offrait. Je courais dans ma chambre, je récitais en secret la Lettre XXV de Julie à Saint-Preux, je m'exaltais : *une langueur mortelle s'empare de mon âme ; sans sujet précis de pleurer, des pleurs involontaires s'échappent de mes yeux...,* et je me délectais de mes larmes secrètes. Comment aurais-je pu faire autrement ? Je ressentais en moi-même exactement ce qu'on m'avait appris à considérer comme la beauté.

Vous pouvez sourire, Monsieur, si vous en avez l'envie : cette fois je vous le permets. Tout cela a bien peu de sens, c'est à vos yeux sans doute bien puéril et un peu ridicule. Peut-être avez-vous du mal à imaginer qu'un homme de lettres ait pu avoir tant de pouvoir et modeler ainsi les sentiments du cœur d'une jeune fille. Vous êtes trop jeune : vous ne savez pas ce qu'a été Rousseau pour les gens de mon âge. Il était le maître de notre cœur. Il régissait nos sentiments et notre pensée. Le royaume était alors peuplé de gens qui ne voyaient le monde qu'à travers ses écrits, qui vivaient leur vie à travers lui. Leur vie — notre vie — se passait dans un monde dont je ne saurais dire s'il était imaginaire ou s'il était véritable : car il avait toutes les apparences de la réalité, et rien de ce que j'ai vu dans mon enfance n'est jamais venu lui apporter la contradiction.

Il faut que je vous raconte la mort de Rousseau, et peut-être comprendrez-vous. J'avais six ans, je vous l'ai dit. Ce fut la première fois que je sentis le monde extérieur, les grandes affaires, les grands accidents, pénétrer dans ma petite vie. Dieu sait, Monsieur, si, depuis lors, ma pauvre existence a pu en être secouée, si nous avons pris l'habitude de nous cacher pour que les grands événements du monde nous oublient. Mais ce jour-là, je n'étais encore qu'une petite fille heureuse. Je vivais dans un minuscule univers, harmonieux et charmant, entourée de quelques personnes délicates et bonnes. Rien n'arrivait jamais et les menus accidents qui survenaient malgré tout, lorsqu'en courant je faisais une chute sur les graviers du chemin ou qu'un insecte me piquait, n'étaient que l'occasion d'un redoublement de tendresse, de baisers et de soins. Je n'étais jamais allée à la ville : le monde pour moi se limitait au château, à la ferme de grand-père, à toutes celles que nous visitions avec ma mère ou avec Madame, au village pour la messe du dimanche, où l'on ne voyait dans la petite église que des figures de fermiers que je connaissais, qui nous saluaient, nous souriaient et, je pense, nous aimaient. Et voici que soudain le monde

15

surgissait dans ma vie, sous la forme d'un cataclysme qui en quelques minutes bouleversait mon entourage : Rousseau est mort ! Madame était étendue sur un sofa, une lettre à la main, elle semblait malade, elle pleurait. Ma mère pleurait aussi, et je crois que ce sont les premières larmes dont j'aie gardé le souvenir. Comment vous peindre tout cela ? Je ne comprenais naturellement pas ce qui se passait. Je pleurais, moi aussi, accrochée au pan de la robe de ma mère, mon petit cœur éperdu de sentir autour de moi cette grande bouffée d'émotion et de fièvre. Je me rappelle Monsieur, tenant dans ses bras le petit Jean-Jacques et répétant avec un ton dramatique : *Tu portes son nom !* et je me redisais en moi-même : *Rousseau est mort ! Rousseau est mort !* comme j'aurais dit : *Le roi est mort !* J'ai le souvenir d'une sorte de cérémonial qui se fit ensuite, le lendemain, ou peut-être l'après-midi, je ne sais plus. Ce grand désordre pathétique se transforma en une célébration dont tous les détails demeurent gravés en moi. Il y avait derrière le château, au bout du parc, dans les bois, auprès d'un petit étang, un belvédère ou un pavillon rond, avec deux petites colonnes de chaque côté de la porte et un fronton triangulaire, tout blanc au milieu de la verdure. C'était un endroit un peu mystérieux, où les enfants n'avaient pas la permission d'aller jouer, et où l'on faisait de la musique. On y fit une procession. J'ai encore une sensation de solennité, de grandeur triste, mais en même temps de jouissance très intense. On nous avait placés, Jean-Jacques et moi, devant tout le monde : nous nous tenions par la main. Madame et ma mère se donnaient le bras. Il y avait Monsieur, et mon père, grand-père aussi, et d'autres personnes venues des environs, que j'ai oubliées. Nous montions lentement. C'était au mois de juillet, il faisait beau, les arbres frissonnaient autour de nous, et là-haut, Monsieur faisait la lecture. Avec une grande voix de théâtre, il récitait *Ô grand être !* disait-il en levant les bras, *ô grand être !* Et moi, pauvre petite, je l'écoutais et je ressentais une sorte d'émerveillement religieux. Je ne comprenais naturellement pas que ce texte solennel et lyrique s'adressait à l'Être suprême : je croyais que ces exclamations parlaient de Rousseau lui-même et je l'imaginais comme un grand géant paternel et bienfaisant, une sorte de roi, répandant ses bénédictions sur son peuple, et dont la disparition signifiait pour tous le commencement d'épouvantables calamités.

Vous pensez sans doute, Monsieur, que nous étions fous. Nous l'étions peut-être. Mais le royaume était alors peuplé de fous de notre genre. Ils vivaient un rêve. Ils venaient de perdre leur père imaginaire. Ce monde m'a donné l'enfance la plus heureuse qui se puisse. Je ne sais si Rousseau avait raison de penser que tous les hommes sont bons : mais je puis vous affirmer qu'il avait fait en sorte que tout le monde le fût autour de moi. Je n'ai pas le souvenir d'avoir jamais été grondée. On m'expliquait le pourquoi des choses, de sorte que faire une faute, ce n'était pas être méchant, mais être sot. Ma mère n'élevait jamais la voix contre moi : elle passait seulement à la troisième personne, et ce « mademoiselle » était plus terrible que n'est la menace du fouet pour les enfants qu'on bat : je n'étais plus l'enfant de personne. J'ai su lire à cinq ans : et le premier texte dont j'aie le souvenir n'est autre que le récit des vendanges à Clarens. Je le sais encore par cœur, lui aussi. Je ne sais ce que peuvent être les livres pour les autres enfants : pour moi ils ne se sont jamais distingués de ce qui faisait ma vie. On ne m'a pas donné à lire Molière ni La Fontaine, puisque Rousseau les prohibait. J'ai lu, j'ai relu dix fois le *Télémaque,* qui m'enchanta, *Les Mille et Une Nuits,* les comédies de Mme Genlis, le *Magasin des enfants et des adolescents.* Mais la première lecture, ce furent *les vendanges.*

Les vendanges, nous les faisions chaque année. C'était notre fête. Je l'avais connue dès ma première enfance, lorsque dans les bras de ma mère ou d'une servante, j'allais voir les vendangeurs. Et voici que j'en lisais le récit dans *La Nouvelle Héloïse,* ce livre qui portait mon nom, mon livre, celui dont je ne doutais pas qu'il eût été écrit spécialement pour moi, et qui en conséquence racontait quelque chose de moi-même. Appren-

18

dre à lire dans ce livre me parut couler de source : je veux dire qu'il était naturel et nécessaire d'apprendre pour pouvoir lire le livre qui portait mon nom. Il me concernait en effet : le chapitre qu'on en avait extrait à mon intention ne racontait rien que je ne connusse à cet âge. Il disait avec des mots ravissants et des phrases pleines de musique ce qui, déjà pour moi, petite fille, était une réjouissance inimitable. Qui a pu connaître quelque chose d'aussi merveilleux : ma première relation avec les livres a été une parure de poésie ajoutée à un bonheur que je vivais, chaque année, au mois d'octobre. Désormais, par un juste retour, la joie des vendanges futures allait se trouver chaque année auréolée de cette poésie que je portais en moi, à six ans, à sept ans, et que je n'aurais plus qu'à retrouver et à faire renaître. C'est pourquoi je n'ai plus jamais su faire la différence entre la littérature et la vie, entre la poésie, le rêve et la réalité : du moins jusqu'à ce que les événements ne vinssent m'apprendre avec cruauté que le monde où nous vivions alors était un mirage.

Pendant les vendanges, il n'y avait point d'études : pas de géographie, pas de latin. Monsieur Simon (c'était notre précepteur : nous n'avions pas tardé à l'appeler Saint-Preux) nous donnait congé. Dès le matin, nous étions dans les vignes, Jean-Jacques et moi, et nous nous mêlions aux filles et aux garçons du village. Ma mère nous rejoignait ; mon père surveillait

19

le pressoir, puisqu'il était l'intendant du château. Nous chantions. Chanter était notre mission principale, celle dont le livre nous donnait la charge. Je ne sais si sans Rousseau les paysans de chez nous auraient chanté de si bon cœur : mais nous chantions et, à notre suite, tout le monde chantait.

Le dernier jour avait lieu la fête des vendanges. On s'assemblait dans une vaste remise derrière le château, que l'on décorait de branches et de guirlandes encore vertes ou déjà pourpres. Il y avait un violoneux qui s'appelait Rabâche. Je n'ai jamais su si c'était son vrai nom ou un sobriquet qu'on lui avait donné à cause des vingt ou trente couplets de chaque contredanse, qu'il enfilait, juché sur un tonneau avec son apprenti. Sur un autre fût, on faisait asseoir un petit garçon couronné de vigne qui figurait Bacchus. Madame se tenait au bout d'une longue table. Elle plaçait à ses côtés quelques vieux. Monsieur se promenait de place en place. On me faisait toujours chanter une romance, que je tenais prête. Deux ans de suite j'ai chanté ma préférée : *J'ai perdu mon serviteur, j'ai perdu tout mon bonheur...* Vous ai-je dit que nous avions arrangé un petit théâtre de verdure, que j'y jouais Colette et que Jean-Jacques faisait Colin, tandis que Monsieur Simon faisait le devin du village ?

Nous allions souvent herboriser avec lui. C'était, comme vous l'imaginez, l'une des manières que l'on avait inventées pour nous faire placer nos pas dans ceux de Rousseau. Nous courions les champs et les chemins. Monsieur Simon nous apprenait à distinguer les fleurs, les feuilles, les tiges, à faire des catégories et des familles. Il avait une manière de faire naître en nous la surprise et l'émerveillement. Pourquoi les fleurs ont-elles toujours un nombre de pétales impair ? Alors, durant des jours, comme font les enfants, nous nous exclamions, nous répétions à satiété devant chaque fleur : « Elle a cinq pétales ! » Alors, il nous menait devant des clématites. Pourquoi de toutes les fleurs existantes, la clématite est-elle seule à n'avoir que quatre pétales ? Et la clématite devenait un trésor rare, la plus étrange fleur qu'ait produite la nature. Au retour, nous faisions sécher nos plantes, nous les plaçions précieusement dans un herbier, nous les dessinions, nous les classions, et Monsieur Simon nous apprenait leurs noms latins, qui nous enchantaient.

Un jour, notre promenade botanique nous conduisit beaucoup plus loin qu'à l'ordinaire, dans un lieu où nous n'étions jamais allés, et nous arrivâmes auprès d'une pauvre masure où vivait un paysan chargé d'enfants au bord de l'indigence. Ils nous regardaient venir sur le pas de l'unique porte, la femme loqueteuse au regard triste, l'homme le bonnet à la main, les petits enfants en haillons. Notre premier mouvement fut la crainte. Il y avait des enfants de notre âge ; ils étaient sales et nus. Que fait un enfant dans ce cas-là ? Mais Monsieur Simon nous poussa de ce côté. Nous étions muets et embarrassés, Jean-Jacques et moi qui tenais mon bouquet de fleurs. Monsieur Simon se mit à parler avec l'homme. Bien entendu, je n'ai appris que beaucoup plus tard que cette visite n'avait rien de fortuit, et que ce n'était pas par hasard que notre promenade avait été plus longue que d'habitude et qu'elle nous avait conduits de ce côté. Vous allez comprendre, Monsieur, qui étaient ceux qui m'ont élevée. Tout avait été concerté entre Madame, Monsieur, mon père, ma mère, et notre précepteur Monsieur Simon comme meneur de jeu, si j'ose dire. Il nous avait menés là pour nous faire voir, au milieu de notre plaisir, la misère, et nous faire entendre de la bouche de ce pauvre homme tout le récit des menaces qui pesaient sur lui et sur ses petits enfants. On allait le chasser de sa chaumière, car il ne pouvait pas payer les quelques sols qu'exigeait le collecteur des impôts. L'homme racontait. Je regardais la femme pleurer et les enfants. Je n'osais approcher. Il est bien vrai que je me suis mise à pleurer aussi. Ce que je ne savais pas, c'est que mon propre père qui était, comme je vous l'ai dit, l'intendant du château et faisait si souvent le tour des villages et des hameaux, avait charge de faire son rapport à Monsieur lorsqu'il lui arrivait de rencontrer de semblables situations. J'ignorais que la règle était alors d'apporter un secours, et

22

sans doute Monsieur aurait-il, cette fois comme les autres, envoyé les quelques pièces nécessaires, et probablement beaucoup plus. Mais ce jour-là, Monsieur Simon avait été chargé de nous conduire, comme par hasard et, au milieu de notre insouciance fleurie et de nos vagabondages botaniques, de faire surgir brusquement, j'allais dire théâtralement, la misère. C'était une mise en scène, en effet : mais nous n'en savions rien. Il s'agissait de nous en faire entendre le récit véridique, et de provoquer nos larmes. On comptait bien, et c'est ce qui arriva, qu'au retour c'est nous qui ferions le rapport que mon père avait déjà fait. Il fallait que nous eussions pris nous-mêmes la mesure du malheur. Il fallait que l'initiative des secours qui allaient être portés le lendemain à ces pauvres gens vînt de nous. Et je me revois encore, c'est assez vous dire, Monsieur, que cet incident bouleversa mon petit cœur de dix ans, je me revois encore pressant Madame et Monsieur de venir eux-mêmes en aide à la misère. Ils eurent la finesse de se trouver des occupations qui nous laissèrent ces soins, à nous, les petits. Monsieur Simon fut chargé de nous guider, et c'est lui qui le lendemain nous conduisit. Je portais une petite bourse. Jean-Jacques tenait les rênes de notre petit cheval chargé de couvertures et de vêtements.

Je vous laisse juge, Monsieur, de cette action. Elle vaut ce qu'elle vaut. Il est facile de donner aux misérables quelques pièces et quelques vêtements, quand on est riche. Il y aura des gens pour dire que c'est s'en tirer à bon compte. J'en connais qui parleraient d'hypocrisie, et d'autres qui, devant ce tableau charmant des petits enfants faisant la charité, parleront de mièvre sentimentalité. Ce n'est pas de cela dont je veux parler, mais du cœur, de l'intelligence, de la discrétion aussi, de ceux qui firent mon éducation et celle de Jean-Jacques. Il ne faut pas mesurer leur bonté aux quelques pièces d'argent contenues dans la petite bourse qu'ils me firent porter, se gardant bien de le faire eux-mêmes, mais à leur souci de nous faire découvrir, à moi et à Jean-Jacques, ce qu'était la misère, nous conduisant ainsi à supplier en pleurant nos pères et nos mères de faire ce qu'ils avaient l'intention de faire. Et vous verrez qu'ils avaient raison et que le lien qu'ils ont créé ce jour-là n'était pas près de se rompre. J'ai appris bien plus tard les détails de cette petite conspiration. C'est bien ainsi. Et vous voyez, Monsieur, que Jean-Jacques Rousseau n'était pas si mauvais.

Voilà toute mon enfance, mon cher Monsieur. Elle est tout entière dans cette absence d'événements, dans cette paix, cette douceur aimable, cette demi-langueur, ces larmes douces : car on pleurait souvent. Je vous ai dit tout à l'heure que j'avais vu les larmes de ma mère pour la première fois à six ans. Je voulais parler des premières larmes de chagrin; car pour le reste on pleurait, mais c'était de tendresse, d'émotion, on pleurait comme dans *La Nouvelle Héloïse*. On pleurait parce qu'on s'aimait, on pleurait quand quelque chose était beau, on pleurait quand quelqu'un vous disait une parole douce. C'était ainsi dans ces temps-là. Il n'y aurait peut-être pas eu tant de larmes de ce genre si on avait su ce que c'était que le malheur, la persécution, la mort, l'injustice, l'ingratitude. Mais on ne savait pas encore. Tout était lisse, même la pauvreté des paysans que nous allions visiter avec Madame, si affables, si déférents, si polis, de si bonnes manières, quand ils nous voyaient venir, que cette pauvreté, qui n'était jamais misérable, n'était pas — comment vous dire? n'était pas un désordre, et qu'elle ne heurtait ni le cœur ni même la raison. Quand elle devenait choquante, comme celle des pauvres gens dont je viens de vous parler, on s'empressait d'y remédier. Que vous dire de plus? Madame et Monsieur étaient parvenus à faire de leur vie et de celle de tout leur entourage un roman pastoral. Nous vivions dans l'irréel, dans un roman : mais cet irréel était réel, comprenez-vous? Tout ce dont parlait Rousseau dans ses ouvrages, l'état de nature, la vertu, l'élan des cœurs, tout était là, dans notre vie, en apparence. Et moi, j'étais là au milieu, sage comme une image, sage comme la petite Sophie dont on parle dans *L'Emile*. J'avais un compagnon qu'on élevait dans les mêmes principes que moi. Nous avions un précepteur, qui nous enseignait les plantes. J'avais un petit âne pour les promenades. Je ne voyais que les aimables fermiers qui ressemblaient aux personnages que l'on voit sur des tableaux de Greuze. Je devais moi-même ressembler à une petite fille peinte par Greuze, avec une robe blanche et une ceinture bleue. Avec notre précepteur, nous étudiions deux ou trois heures par jour, nous avons appris l'anglais et l'italien en nous jouant : Jean-Jacques était Tancrède et moi Clorinde. Nous lisions ensemble. Nous étions grands dévoreurs de livres, et nous jouions tout ce que nous lisions. Quand il n'y avait pas de rôle de fille, nous dédoublions le héros. Nous avions inventé une compagne à Télémaque Et c'est alors qu'on nous sépara.

En ce temps-là, quand on partait au collège, on ne revenait guère aux vacances. Cela dura quatre ans. Quatre années durant lesquelles je fus, comment vous dire ce que je fus ? Il n'y a pas de mot. On dit orphelin pour qui a perdu ses parents. On dit veuf ou veuve. Mais on n'a pas inventé de mot pour celui qui a perdu son frère, son compagnon, son ami, son ombre. Ah oui, cette fois j'ai pleuré. Des jours, des nuits. Les nuits surtout. J'étais une petite fille de treize ans, et l'on m'avait donné tout ce qu'il fallait pour devenir une amoureuse. Si je n'avais pas autant lu, ou si j'avais lu d'autres livres, peut-être serais-je restée une petite fille à qui l'on enlève son ami. Cela fait sans doute de grandes tristesses : mais pour moi la séparation fut bien autre chose. Elle fut la révélation de l'amour, ou peut-être la révélation du sentiment de l'amour à travers les phrases de l'amour. Et aussi à travers les images de l'amour.

J'avais au château une petite chambre, attenante à celle de ma mère, mais qui se trouvait dans un étrange renfoncement de la muraille, une sorte de tourelle, et où l'on entrait en descendant trois marches dans un étroit couloir. C'était mon royaume minuscule. Elle avait deux fenêtres, mais si petites qu'elles semblaient faites, comme la chambre, à l'échelle d'une enfant de dix ans. Par les carreaux, je voyais un pan de prairie, presque toujours verte ; plus loin, la frondaison des arbres du bois. En me penchant, j'apercevais à gauche la surface douce et lisse, couleur de ciel, d'un petit fragment d'étang. A toute heure, même dans la nuit, j'entendais nasiller les canards. Ma chambre était tout entière tapissée de cette toile qu'on tissait alors au village de Jouy, d'un gris de perle, avec de petites scènes pastorales gracieuses et tendres, qui paraissaient flotter sur le mur, comme si chacune se fût passée sur une île. L'une d'elles représentait une jeune fille prenant de l'eau à une fontaine toute sculptée et couronnée d'une grande gerbe de fleurs dans une urne ; elle se retournait vers un jeune homme jouant avec un chien. Il n'y avait autour d'eux, dans leur île, que trois ou quatre arbustes et, dans un coin, trois moutons couchés. Ils étaient seuls. Cette île était ma préférée. Dans une autre, au-delà d'une étroite nappe d'étoffe blanche, un groupe cueillait des fruits : j'ai toujours pensé que c'étaient des cerises, bien avant de lire cette page de Rousseau où j'ai reconnu la tapisserie de ma chambre. Il y avait un garçon, monté dans l'arbre avec une petite échelle, qui tendait la main, et une jeune fille, peut-être la même, qui présentait son tablier pour qu'il pût y lancer les fruits qu'il cueillait. Naturelle-ment, toutes ces jeunes filles étaient moi. Elles se multipliaient à l'infini tout autour de ma chambre. J'ai eu ces images sous les yeux pendant toute mon enfance, toute ma jeunesse. Je ne me souviens pas qu'elles aient pâli, ou jauni ; ou bien alors mes yeux leur rendirent éternellement leur fraîcheur. Mais c'est après le départ de Jean-Jacques qu'elles prirent leur sens. Je l'eus dès lors, chaque jour, chaque soir, sous les yeux, bien mieux que si j'avais possédé de lui un vrai portrait, avec son visage et son expression : car un portrait, si vivant qu'il puisse être, demeure immobile, tandis que je le voyais cueillir pour moi des cerises, jouer avec mon chien (bientôt, pour mieux ressembler au dessin, il m'en fallut un qu'on me donna sitôt que la chienne du fermier eut des petits). Jean-Jacques me touchait la main. Nous partions là-bas, dans le moulin en ruine qu'on apercevait sur une autre de ces petites îles. Nous passions sur ce pont. Nous regardions cet homme en barque avec son âne chargé de sacs. Toutes les îles étaient nôtres. Et je continuai de grandir au milieu de cette pastorale gris perle, indéfiniment recommencée, où un garçon et une fille s'aimaient parmi les arbres, les moutons, au bord des fontaines, entourés d'eau de tous côtés.

C'était l'automne. Mon clavecin, mes petits ouvrages de broderie, la lecture encore, se partageaient les moments de mes interminables journées, mais ces images se mêlaient à toutes mes occupations. Et peu à peu, la tristesse que j'avais éprouvée à son départ fit place à une sorte de langueur presque délicieuse. Penser à lui me rendait aussi heureuse que je l'avais été de le voir. Je faisais comme s'il était là : je lui parlais en secret, je faisais tout comme s'il en était témoin. Je respirais pour lui, je rêvais de passer ma vie à ses pieds, et les larmes que je laissais couler dans mon lit devenaient douces. Je crois que j'aimais mes larmes autant que je l'aimais. Je cueillais des bouquets que j'allais déposer aux endroits où nous avions coutume d'aller ensemble.

L'un des lieux où je retournais le plus volontiers était la pièce d'eau derrière le moulin, où nous avions passé tant de fois l'après-midi. Nous l'aimions depuis toujours, depuis que, tout enfants, nous y étions allés en promenade avec ma mère et avec Madame, quand la meunière était accouchée.

C'était notre retraite préférée. Le moulin était situé en contrebas du parc, dans un domaine secret et boisé où se cachait la rivière. A quelque distance en amont, elle s'élargissait, plus profonde et plus lisse, à cause de la petite digue qui alimentait la grande roue à aube, et qui formait une cascade. L'eau y était plus sombre aussi, plus mystérieuse à cause des grands arbres tout autour qui y baignaient leurs branches basses et y semaient des feuilles mortes. Ses rives dissimulaient des cachettes sous les buissons, où nous étions chez nous. On entendait bruire la cascade et, plus loin, clapoter la roue du moulin. Ce lieu avait inspiré à Jean-Jacques une sorte de passion, lorsqu'il avait dix ou onze ans : celle de construire ce qu'il appelait des « fabriques », c'est-à-dire de petits barrages, qu'il entreprenait chaque fois qu'un ruisseau se présentait à lui. Assise sur le bord, je le regardais faire. Il entassait des pierres, les pieds nus dans l'eau, colmatait avec des branches, de la boue, de l'argile. Il calculait comme un maître d'œuvre : mais toujours l'eau avait raison de ses entreprises. Jamais une de ses digues n'a réussi à être étanche, et le courant parvenait toujours à miner ses petits ouvrages d'art, que je le voyais défendre avec une fièvre, une passion, une obstination qui croissaient avec l'imminence du désastre, et qui me remplissaient à la fois d'admiration et d'une sorte de pitié attendrie. J'ai su depuis que les héros vaincus étaient ceux que l'on pouvait le mieux aimer.

Souvent, nous entrions dans le moulin. J'en aimais l'odeur douce et pénétrante, légère comme la poussière de farine qui flottait dans l'air. J'étais effrayée par le manège de cette grande machine dans la demi-obscurité. Je me réfugiais chez la meunière, et je laissais Jean-Jacques qui demeurait indéfiniment en contemplation devant le grand arbre, les roues dentées de bois avec leur claquement incessant. J'avais peur aussi du meunier. C'était un géant, aussi grand qu'il était gros, doté d'une voix terrible. Il était si fort qu'il portait deux énormes sacs de grains ou de farine, un sur chaque épaule. Je le regardais avec émerveillement et crainte : mais j'avais plus peur encore de ses yeux, et de la manière qu'il avait de nous regarder en posant des questions. C'était toujours comme s'il attendait une autre réponse, ou qu'il cherchait à deviner autre chose que ce qu'il avait demandé, de sorte qu'en lui répondant on avait l'impression de mentir et qu'on rougissait. Mais nous aimions la meunière, qui était douce et bonne et nous régalait de jattes de lait, et leurs petits enfants, qui étaient au nombre de huit ou dix. On croyait entrer dans la maison de l'ogre. Pourtant, de sa voix terrible, le meunier nous parlait toujours d'une manière cérémonieuse, le bonnet à la main. A Jean-Jacques, il s'adressait toujours en disant : « Monsieur le petit comte. » Quand il parlait de Monsieur, il ne l'appelait pas, comme tout le monde, « Monsieur not' maître », mais « Monsieur le comte », comme faisaient le curé ou les notables.

Ce que je ne savais pas alors, et que j'ai appris beaucoup plus tard, c'est que le meunier était le principal bénéficiaire de la libéralité de Monsieur et de ses idées philosophiques. Vous êtes trop jeune pour vous rappeler que, dans ce temps-là, les moulins étaient un privilège, comme l'étaient les fours pour cuire le pain. Les fermiers et les métayers, comme tous ceux qui avaient une petite closerie ou quelques acres de labours, devaient venir moudre leur grain au moulin du seigneur, et en laisser une part en loyer : c'était l'une des tâches de mon père que de venir contrôler tout ce qui se faisait au moulin. C'est pourquoi il y eut beaucoup de disputes lorsque Monsieur décida, de son plein gré et bien avant qu'on rédigeât les doléances, que ce moulin qui lui appartenait et faisait partie de ses terres les plus proches serait désormais libre d'accès. Chacun put y apporter désormais son grain comme il l'entendait. Ainsi le meunier, au lieu d'être à ses gages, devint en quelque sorte son fermier, et reçut pour son propre compte la part de récolte que les laboureurs lui laissaient en paiement de ses services.

Que pourrais-je vous dire, Monsieur, de toutes ces années ? Rien. Il me semble qu'il ne se passait rien. Je grandissais, oui, certainement. J'embellissais aussi. Je crois pouvoir dire que j'avais, comme on disait, « un visage agréable », et que « j'étais bien faite ». Ma mère me le disait en m'embrassant. Je me le disais moi-même en me regardant dans le miroir : et cela ne me rendait pas heureuse. Mais je n'étais pas malheureuse. Non, je ne peux pas dire que je m'ennuyais. Je travaillais. Je lisais. J'étais une grande dévoreuse de livres. Je jouais sur mon clavecin. Je chantais, et je savais que ma voix était jolie. Nous avions un grand répertoire de ces romances aimables et mélancoliques que l'on aimait alors, et que Jean-Jacques Rousseau avait mises à la mode. Madame en recevait de pleins cahiers de Paris, sur lesquels je me jetais et dont les paroles naïves et les mélodies tendres me transportaient. Je me les chantais à moi-même en me promenant, je les répétais à mon clavecin, j'y retrouvais, mieux encore que dans les livres, quelque chose de moi-même. Ou plutôt : les livres m'avaient faite ce que j'étais, et les romances le reprenaient d'une manière plus intime et plus douce. Imaginez-vous combien ces mots

> *Que fais-tu dans ces bois, plaintive tourterelle ?*
> *Je gémis, j'ai perdu ma compagne fidèle...*

et le joli air que Rousseau y avait lui-même ajusté pouvaient être en correspondance avec ce que j'étais, avec ce que j'aimais ? Quel incroyable pouvoir de me dédoubler, de dédoubler mon émotion en me faisant chanter, non pas ma peine, mais celle qu'on aurait de m'avoir perdue, c'est-à-dire celle que je souhaitais entendre... Et ceci encore :

> *Je ne sais quel ennui me presse,*
> *Est-ce une peine, est-ce un plaisir ?*

Je me trouvais, en fredonnant ces romances, à l'unisson de moi-même. On me demandait parfois de chanter le soir, après souper. J'aimais à le faire. Je transmettais mon secret sans le dire. Quand on lit dans un livre quelque chose qui vous touche et vous émeut, n'avez-vous pas senti, Monsieur, comme on éprouve à la fois le désir de s'enfuir, d'être seul pour caresser en soi-même ce nouveau trésor, de se le raconter à nouveau dans la solitude ; et en même temps, comme on souhaiterait lever les yeux de la page et trouver aussitôt quelqu'un à qui transmettre la petite merveille. Mais quand on chante, on fait les deux choses en même temps : on fait renaître ce qu'on aime, et on le donne...

Quand je ne lisais pas, que je ne chantais pas, j'aidais ma mère, je brodais, je faisais des parties de trictrac avec grand-père, je l'accompagnais à la ferme, j'allais avec Madame et avec ma mère visiter les maisons où une jeune femme accouchait ou bien dans celles où se trouvaient des enfants malades. Comme je savais mon Rousseau sur le bout du doigt, j'étais devenue une grande zélatrice de l'emmaillotage des nourrissons selon la nouvelle méthode. Je bataillais sans succès pour convaincre les jeunes mères de laisser libres les bras et les jambes de leurs petits, et de ne plus les serrer dans des bandelettes comme on faisait autrefois. Vous n'imaginez pas comme on sanglait les nouveau-nés dans ce temps-là, embobelinés comme des momies. Il y avait des fermes où on les suspendait tout raides à une poutre, pour les mettre à l'abri des chiens, des chats et des rats... Mais j'avais à peine le dos tourné qu'il se trouvait toujours une grand-mère ou une voisine pour reficeler le pauvre marmot, et mon combat était vain.

Voilà ce qu'était ma vie. Des compagnes de mon âge ? Non, Monsieur, je n'en avais point. Il n'y avait personne aux environs. Lorsque venait la marquise notre voisine pour une visite à Madame, et qu'elle était accompagnée de sa fille, ces dames ne me regardaient guère : je n'étais que la fille de ma mère. Je ne m'en offusquais d'ailleurs pas. Ma mère elle-même s'éloignait sans que personne y songeât et j'ai peu à peu compris que le lien qui l'unissait à celle qui était sa maîtresse n'était que celui de l'amitié et du cœur, non celui de la condition. Les filles du village, j'avais joué avec elles quand elles avaient huit ans et moi de même : maintenant, elles étaient servantes ici ou là, ou bien elles travaillaient aux champs. Je les voyais le dimanche au sortir de la messe. Elles étaient en coiffe et en sabots, je les tutoyais encore et nous nous donnions des baisers sur les joues. Nous riions un moment et nous nous quittions. Non : il n'y avait personne. Non, je n'étais pas malheureuse. La vie était douce. Personne n'était malheureux autour de moi. Les jours passaient. Il n'y avait rien. On pourrait dire qu'il aurait pu ne rien y avoir, jamais. Qui suis-je, Monsieur ? Vous me voyez, cette vieille femme dans son fauteuil, arrêtée près de cette fenêtre. Je brode un mouchoir tout comme je faisais alors. Il y a quarante ans que je suis ainsi et, sauf mon visage, je ne suis pas différente de ce que j'étais lorsque j'avais seize ans. Peut-être étais-je faite pour que rien ne se passât jamais. Peut-être les moments que j'ai vécus ensuite, oh ! si peu de temps ! ne sont-ils que des accidents au milieu d'une vie qui n'était point faite pour eux. Il m'arrive de penser que les événements ne changent rien dans un être. Ils ne font que rendre plus forts les défauts ou les qualités des personnes. Vous n'avez pas vécu la Révolution, Monsieur : vous êtes trop jeune. Vous ne savez pas comment les événements traversent les gens. Un caractère faible ou mesquin, dans les révolutions, devient simplement lâche et mauvais : c'est le même, en moins bon. Un homme ouvert devient meilleur. Un esprit vif devient téméraire. On est toujours soi-même : on est seulement obligé de l'être un peu plus. Puis revient le calme et rien n'a changé, si ce n'est justement le sentiment qu'on a de soi, parce qu'il est apparu dans sa vérité, et que parfois on essaie soi-même de l'oublier. Et moi, qui suis-je à soixante ans ? Rien de plus que ce que j'étais à seize...

Non, ce n'est pas vrai.

Je me trompe.

J'avais seize ans et j'étais amoureuse...

Vous allez sourire à nouveau : car enfin, si je vous dis « j'étais amoureuse », vous demandez : « mais de qui ? ». J'avais tous les caractères qui marquent une fille amoureuse : les élans, la mélancolie soudaine et sans cause qui suit une exubérance non moins inexplicable, toutes les formes de changement d'humeur... Je vous dis : « Il ne se passait rien. » En effet. Il ne se passait rien. Mais je rougissais pour rien. Je pleurais pour rien. Pour rien je m'enfuyais au fond du parc afin de ne plus voir personne. Je faisais tout ce qui provoque chez ceux qui vous regardent ce petit sourire de connivence attendrie par leurs propres souvenirs et leur fait dire : « Ce n'est rien, c'est une fille amoureuse... » Mais moi, de qui aurait-on pu dire que je l'étais ? Qui était-ce en vérité que j'aimais ? Quelqu'un dont l'image même avait fini par s'estomper dans mon souvenir. L'éloignement du temps l'avait rendue indistincte. J'étais amoureuse de la brume de mes rêveries. Je flottais dans une attente vague, celle qui est naturelle à une fille de mon âge et nécessairement sans objet puisqu'elle lui vient de ne pas pouvoir connaître ce qui la fera femme : mais pour moi augmentée de ce qu'elle n'était justement pas sans objet, mais fixée sur un objet absent. J'étais amoureuse d'une absence. J'étais amoureuse d'un étang, d'une île, d'un moulin, d'une tapisserie, d'un bouquet de fleurs si je l'avais cueilli à un certain endroit au bord d'un certain chemin. J'étais amoureuse de... Oui, oui, je puis dire cela : de mon propre visage qui ne cessait d'embellir et dont je contemplais dans mon miroir la langueur jusqu'à ce que je me misse à pleurer...

C'est alors qu'un soir, à table, sans préparation, Monsieur prononça au détour d'une phrase les mots qui me firent baisser les yeux et trembler pour la rougeur que je sentais me monter aux joues : « Nous verrons cela quand Jean-Jacques sera de retour, après Pâques... »

Je savais bien, nous savions tous qu'un jour Jean-Jacques reviendrait, qu'il serait officier, qu'avant de rejoindre son régiment il passerait plusieurs mois au château : mais c'était dans un futur vague, incertain, abstrait, et l'image de Jean-Jacques s'y brouillait plus encore que dans les souvenirs que j'avais de lui. D'un seul coup, lorsque Monsieur eut parlé, le retour devint un événement daté, accroché à la fête de Pâques, à la messe, aux cloches carillonnantes, au printemps. Mais on ne sait jamais quand est Pâques et, tandis que tous continuaient à parler d'autre chose, le souper se passa pour moi à tenter d'en calculer la date. L'image de Jean-Jacques changea pour ainsi dire de nature. Il cessa en une minute d'être celui qui n'est pas là, celui qui est au collège, celui dont l'absence fait pleurer, et se transforma en celui qui sera de retour à Pâques. Ma vie immobile se mit à ressembler à cet endroit de l'étang que j'aimais et où j'allais me promener si souvent : passé un certain point au-delà de notre île, on devinait par le mouvement des feuilles et des brindilles à la surface, qu'un courant, presque insensible, commençait par en dessous à diriger l'eau vers la petite cascade où elle s'écoulait en murmurant. On ne pouvait voir l'eau glisser : seulement les feuilles mortes. Ma vie se mit à changer de la même manière : une vie stagnante qui se transformait en vie courante. Toutes mes pensées se mirent à ressembler à ces petites feuilles de l'automne qui, doucement, s'avançaient vers ce quelque chose qu'elles ne connaissaient pas encore et qui les entraînait de cette manière irrésistible, mais si lentement, avec une indolence si délicate, qu'elles ne savaient même pas elles-mêmes qu'elles avançaient.

Mais tout arrivait à la fois, et en désordre. A peine mon cœur s'était-il mis en mouvement, à peine commençais-je en silence, sans un mot à personne, à nourrir en moi cette image de printemps qu'avait fait éclore le mot de Pâques, voici que notre vie à tous, si tranquille, si réglée, se mit à s'agiter de toutes les manières. Monsieur avait reçu des lettres de Versailles. Le roi appelait les représentants. Le curé en parlait au prône. Les gentilshommes des environs défilaient au château : il en venait chaque jour. Monsieur les réunissait dans son cabinet. On ne parlait plus à table que de réformes, de constitution, de vote, de voyage à Versailles. Vous ne pouvez vous représenter, vous qui n'avez pas vécu cette époque, ce que furent les mois qui précédèrent la Révolution : quelle fièvre, quelle activité, quelle agitation dans les esprits, et jusque dans la vie d'une fille aussi écartée du monde que je l'étais. Mais nous avions toujours eu la tête philosophique, et Monsieur plus encore que nous.

« Nous allons faire de grandes choses, disait-il. Nous allons changer la marche du royaume... »

Je servais le thé à l'anglaise en écoutant disserter ces messieurs. Mais comment, derrière chaque parole qui se disait, n'aurais-je pas placé l'image de celui dont chaque jour qui passait rapprochait maintenant le retour, et dont je faisais l'interlocuteur imaginaire des grandes disputes qui enflammaient les esprits autour de moi ?

« Il suffira de quelques mois, disait Monsieur. Le royaume foisonne de Turgot et de Malesherbes que l'on n'emploie pas selon leur mérite. Tous les hommes de pensée et de réflexion vont se réunir à l'appel du roi. Il suffira d'une étincelle... »

Monsieur était grand et bel homme. Lorsque son visage s'animait pour quelque grande idée ou quelque récit, il y passait je ne sais quelle noblesse généreuse et brillante : comment, en le voyant affecté de cette expression d'ardeur, n'aurais-je pas pensé à celui que j'attendais, et qui lui ressemblait ? Dans toutes les conversations, il régnait une atmosphère d'allégresse, une vivacité d'espérance, une chaleur d'enthousiasme qui étaient comme l'exaltation de ce que nous pensions et désirions depuis tant d'années. Enfants, Jean-Jacques et moi n'avions jamais entendu d'autres discours : et voici qu'on nous disait qu'enfin, par la volonté du roi, cette grande affaire allait bientôt conduire Monsieur à Versailles et transformer tout le royaume...

Mais comme si ces nouvelles, ces allées et venues, ces conférences et ces réunions ne créaient pas une assez grande agitation, il fallut que l'hiver qui s'avançait fût le plus rigoureux qu'on eût connu de mémoire d'homme. Avez-vous entendu parler, Monsieur, de cet hiver de 1788 ? Il fut terrible. Il faisait si froid que la rivière était gelée. Au début, je m'amusais à traverser l'étang à pied sec jusqu'à notre île : mais bientôt, il n'y eut plus de place pour les amusements, je vous l'assure. Quelque temps, on put encore casser la glace le matin et faire des feux de paille pour réchauffer la roue du moulin et la faire tourner : mais il vint un moment où cela ne fut même plus possible, car les eaux avaient été si basses avant les grands froids qu'elles furent bientôt gelées jusqu'au fond, et que l'on ne put même plus faire de pain. On concassait le grain pour faire de la bouillie. Les pauvres gens furent bien malheureux : ceux qui n'avaient point de terre et se louaient ici ou là ; les journaliers qui ne pouvaient avoir d'emploi sur cette terre gelée ; ceux qui ne savaient où aller ramasser chaque jour quelques brassées de bois mort.

Madame fit ouvrir au bout de l'aile du château une vaste salle où l'on faisait brûler un grand feu et où l'on cuisait de pleines marmites de soupe aux fèves avec du lard : y venait qui voulait, et comme par ce froid personne ne pouvait travailler aux champs ni même parfois dans les maisons, ce fut bientôt la salle commune de tout le village. On y faisait la classe pour que les enfants fussent au chaud. Cette assemblée paraissait exactement constituée à l'image de celles que Jean-Jacques Rousseau avait représentées dans ses livres. Quand notre curé y paraissait le soir, il me semblait que ce vieil homme souriant aux cheveux blancs ébouriffés sur son visage rose et son rabat à l'ancienne était sans le vouloir la plus ressemblante image du Vicaire savoyard. Il aurait bien ri, ou plutôt se fût bien fâché s'il avait su à qui j'osais le comparer...

Je fus alors bien occupée. Je passais une grande partie du jour parmi ces pauvres gens. Je les connaissais tous, et beaucoup étaient nos fermiers, que la sévérité du climat avait cette année-là privés de leur récolte. J'y retrouvais Gaspard et sa sœur Justine, les enfants que nous avions visités avec Monsieur Simon.

Cet hiver-là, il y eut une pauvre femme, si misérable qu'elle mourut gelée sur le chemin, par l'excès du froid. Elle avait un petit enfant à la mamelle, une petite fille, que l'on sauva. Un laboureur l'avait trouvée ; il l'avait ramenée chez lui, sa femme la réchauffa et lui donna du lait ; puis on l'amena chez le curé, et le curé enfin la porta chez Madame : et c'est ainsi qu'elle m'échut, à moi. Madame chargea mon père de lui trouver une nourrice. Ce n'était pas aisé en ces temps où tout le monde était dans la disette, et ce fut moi qui eut l'enfant en charge jusqu'à ce qu'on eût découvert une femme en état d'allaiter qui voulût bien le prendre chez elle. Ainsi je me suis trouvée mère. Que je l'ai aimé, ce petit poupon qu'on m'avait confié... Je le portais, je le changeais, je le baisais, je le berçais, je le nourrissais. Je le prenais avec moi la nuit ; dans le secret de ma chambre, je me délaçais le sein pour le lui donner à téter, et je me désespérais de n'être point femme, à cause de ces petits seins stériles qui ne me permettaient pas de nourrir moi-même un nouveau-né. Voyez, Monsieur : le désordre dans lequel se faisait ma vie se continuait et s'augmentait encore. J'ai toujours tout appris à l'envers. J'avais su les mots de l'amour avant de savoir ce qu'était l'amour : voici que maintenant on me faisait mère dans le moment où je n'avais plus d'autre pensée que le prochain retour de l'amant de mes songes et où les vagabondages de mon cœur étaient en train de faire monter en moi, dans mes membres, dans mon corps, ce désir incertain que je ne connaissais pas encore, et qui était simplement celui d'être femme. Ainsi, j'ai connu, et avec Dieu sait quel secret ravissement, la douce pression des lèvres d'un nourrisson, avant d'avoir su ce qu'était la caresse d'une main d'homme : comment aurais-je compris pourquoi j'avais les larmes aux yeux ? Et puis de nouveau on me déchira en m'enlevant mon enfant aussitôt qu'on eut

44

trouvé pour lui une vraie nourrice, tout comme trois ans auparavant on m'avait arraché mon amant après m'avoir fait deviner ce que pouvait être l'amour et m'en avoir donné le désir sans me permettre de l'éprouver.

Quelle confusion dans mon cœur, dans ma vie, dans mes pensées... Depuis le début de l'hiver, ce n'était qu'une suite de secousses. A la trop grande tranquillité succédait un excès d'événements, d'émotions, d'occupations. A peine terminés ces jours où je m'étais précipitée avec une sorte de passion excessive, oui, délicieuse mais excessive elle aussi, dans cette feinte maternité, le monde entier me retomba sur les bras. Je retournai m'occuper des malheureux que l'hiver rassemblait chez nous : mais je le fis désormais avec je ne sais quelle exaltation, avec un cœur tout agité de désirs et d'impulsions. J'accomplissais mes tâches dans une impatience perpétuelle, avec des sautes d'émotion que je ne comprenais pas moi-même. Vers la fin de février, les grands froids cédèrent et, bien que la neige couvrît encore les champs et rendît les chemins encore bien périlleux, l'agitation redoubla au château. Monsieur ne cessait d'aller et venir. Presque chaque jour, il y avait trois ou quatre voitures amenant quelques-uns de ces messieurs. Nous avions la tête farcie de politique. En servant du sucre et des gâteaux, j'écoutais les disputes avec le bailli et le marquis notre voisin, sur le sujet du *vote par tête* et du *vote par ordre*. Le dimanche, après Vêpres, il me fallait encore accompagner grand-père à l'église. Il était toujours vaillant et sa tête était bonne, mais ses jambes étaient rendues douloureuses par le froid et l'humidité. C'est moi maintenant qui devais le conduire dans la carriole avec laquelle il nous promenait autrefois. A l'église se tenaient d'autres séances où les hommes de la paroisse se réunissaient pour désigner leurs représentants au baillage et rédiger leurs doléances. Je m'asseyais au fond avec un ouvrage que j'abandonnais bientôt à cause du froid qui m'engourdissait les mains. J'étais la seule femme. J'écoutais l'autre voix du royaume. Je peux dire que j'étais la fille de France la mieux avertie et que j'aurais pu réciter au roi la leçon de tout le royaume. C'est dans ce grand désordre qu'approchait la date de Pâques, et qu'arriva le jour du retour de Jean-Jacques.

Un domestique avait été dépêché en ville pour attendre la poste par laquelle il devait arriver. Tout l'après-midi, je m'étais tenue enfermée dans ma chambre. Je n'osais sortir; je n'osais me montrer. Je craignais que l'on ne me confiât quelque tâche qui m'aurait distraite ou tenue éloignée au moment de son arrivée. Je me regardais dans mon miroir et me trouvais pâle. Dix fois j'avais rajusté le ruban que je portais dans mes cheveux (c'était la mode alors, pour une fille de mon âge : une robe blanche toute légère, un fichu de gaze autour du cou, et pour les blondes une ceinture large de soie bleue et un nœud bleu dans les cheveux). J'avais entendu le crissement d'une voiture devant le château. Je tremblais. Mais ma petite chambre, vous le savez, s'ouvrait sur les pelouses du parc, sur la forêt et sur les pièces d'eau. J'avais attendu encore un moment, assise sur mon lit. Je regardais les petites scènes dessinées sur la tapisserie, où tant de fois pendant ces années j'avais imaginé le voir, me voir, et qui étaient devenues notre histoire enchantée : ainsi dans quelques minutes, le fil brisé allait se renouer. L'île allait redevenir notre île. Nous nous promènerions vers le vieux moulin et un homme passerait dans sa barque, avec son âne.

« Tu ne connais pas ton maître », disais-je à mon chien assis à mes pieds, et qui me regardait en tirant la langue, avec cette intelligence qu'ont les chiens, cette espèce de prescience ou de divination qu'ils ont, que quelque chose va se passer ; ils le devinent dans votre attitude et dans votre expression, et ils attendent aussi avec impatience en vous regardant ; « tu vas faire la connaissance de ton maître ».

Je restai ainsi longtemps, assise sur mon lit, retardant je ne sais pourquoi l'instant de descendre. Puis je sortis de ma chambre avec d'incompréhensibles précautions, fermant la porte à petit bruit et marchant sur la pointe des pieds. J'entendais, en bas, des bruits de voix. Je discernais celle de Madame, puis celle de Monsieur, mais j'étais trop loin pour comprendre leurs paroles. Il y avait quelqu'un d'autre avec eux, que je ne connaissais pas. J'attendais que Jean-Jacques parlât à son tour. Il se taisait. Je faillis me mettre à pleurer : il n'était pas là, ce n'était pas lui, ce n'était donc pas sa voiture que j'avais entendue... Je m'avançai dans le corridor, et à mesure que j'approchais, je commençais à percevoir ce qui se disait : j'entendis la personne inconnue dire « maman », puis « oui, mon père », et c'est seulement au milieu de l'escalier que je compris, lorsqu'il dit : « ... et à l'étape de Châlons, lorsque nous avons relayé... ». Je restai immobile, écoutant les mots qui me pénétraient peu à peu de cette incroyable pensée, que cette voix inconnue, ce timbre grave, rude, cette sonorité éraillé et rauque, cette voix d'homme, mais discordée, détimbrée, cette voix étrangère, c'était lui. Quelque chose se déchira en moi. Des mois, des mois entiers, des nuits entières, ce retour avait été présent en moi, j'en avais imaginé tous les détails, j'avais pensé à tout, je connaissais tous les bruits, depuis celui de la voiture pénétrant dans la cour, et que j'avais reconnu tout à l'heure, jusqu'à sa voix pour me parler : depuis longtemps je l'écoutais dans mon cœur... Et voici que se produisait une sorte de trahison.

48

Non pas de lui, ni de moi, ni de personne, mais...
J'étais là, à mi-hauteur de l'escalier, je pleurais. Puis
quelqu'un s'avisa de lever la tête.

« Héloïse! Descendez vite, voici Jean-Jacques de
retour! »

Il me serra dans ses bras. C'était la première fois
qu'il le faisait. Auparavant, nous étions des enfants : et
tout d'un coup, d'une manière que je n'avais pas plus
attendue que le son de sa voix, il faisait un geste
d'homme. J'enfouis mon visage dans le creux de son
épaule pour le cacher, et je redoublai de larmes. Je ne
pouvais plus m'arrêter, je sanglotais, et je commençais
à ne plus savoir si c'était de désarroi, ou bien de
douceur, d'abandon, que sais-je? de détresse. Je ne
voyais pas son visage. Je me rappelle : il y avait
quelque chose de froid contre ma joue qui me meurtris-
sait, en même temps que je sentais sa main sur mon
épaule. Autour de nous, on s'exclamait :

« Héloïse! Mais qu'as-tu? Qu'avez-vous? Pourquoi
pleurez-vous? Que t'arrive-t-il? »

On pleurait beaucoup, dans ces temps-là, je vous l'ai
dit : toute émotion était source de larmes; mais de tels
sanglots... Je ne pensais plus, mon esprit était allangui
comme mes membres, ma seule pensée était de ne pas
montrer mon visage. Et c'est en relevant à peine la tête
de son épaule, et aussi à cause de cette chose froide qui

me faisait mal, que je répondis, sans savoir ce que je disais :

« Il parle comme... comme le père Gousset... »

Tout le monde éclata de rire, et moi aussi. Le père Gousset était un vieux bonhomme qui vivait dans une petite maison au bout du village, un vieux veuf qui avait été autrefois l'un de nos gardes-chasse. Il parlait d'une petite voix cassée qui déraillait au milieu des phrases et accrochait les notes aiguës comme un mauvais violon. Le rire me sauva et lorsque je relevai la tête, c'est Madame qui m'embrassa, légèrement, avec une douceur qui aurait pu me faire à nouveau fondre en larmes.

« Allons souper, coupait Monsieur. Jean-Jacques, tu as sans doute une faim d'ogre... »

Jean-Jacques me regardait en souriant :

« Que tu es belle... Ma mère, quel philtre avez-vous composé pour en faire une si belle jeune fille en si peu de temps ? »

Et aussi vivement que j'avais maudit mes larmes, je les bénis aussitôt, car elles empêchaient qu'on pût remarquer ma rougeur. Il me prit le bras pour passer à table, comme un prince, ou comme un amant, ou comme un époux. Ce sont ses épaulettes d'or qui m'avaient meurtri la joue. Il portait un uniforme rouge avec des parements bleus et une petite tresse d'or tout autour. A table, je n'osais lever les yeux. Je les savais rouges et bouffis : c'est le triste sort des blondes, Monsieur. Elles ne peuvent rien cacher. Et pourtant, à travers ces yeux baissés, je n'avais de regards que pour lui.

Monsieur parlait déjà de politique, de ces questions qui nous occupaient et nous obsédaient depuis des semaines :

« Le roi va avoir bien besoin de nous...

— Oui, mon père. Je crois que nous allons vivre de grands moments. Qu'il est beau de penser que tant de choses vont pouvoir se faire, que tant d'erreurs vont se corriger, tant d'errements se rectifier, tant d'injustices se réparer... Je suis fier d'assister à de si grands événements, et ce sera la gloire du roi que de les avoir provoqués. Comme je souhaiterais d'être plus âgé de quelques années, pour pouvoir y participer. Mais vous, mon père... »

Ainsi, nous n'étions pas à table depuis cinq minutes, Jean-Jacques était à peine arrivé, que tout commençait à s'éclairer dans mon cœur. J'étais encore tremblante d'émotion et de surprise, je commençais à peine à apprivoiser l'image de ce jeune homme dont les traits m'étaient presque aussi inconnus que l'avait été sa voix et que l'était son front dégagé par les cheveux poudrés et tirés en arrière : déjà tout s'accordait et s'ajustait. Ce dont nous ne cessions de débattre depuis des semaines, le roi, Versailles, l'Assemblée, les réformes, que ce fût dans l'église avec les villageois et les fermiers, ou à cette même table avec les gentilshommes qui s'y succédaient chaque soir, tout était en train, non seulement de prendre un tour brillant et vif, mais une sorte de poids d'évidence. Oui, tout allait changer. Oui, la justice et la raison allaient triompher.

« Quel bonheur est le vôtre, mon père, de vous rendre à Versailles et de contribuer à ce qui fera un jour la gloire et l'honneur de notre siècle... »

Je regardais Jean-Jacques. Je lisais dans ses yeux les grandes choses dont il parlait et qui allaient se produire : elles existaient déjà dans ses paroles. Qu'il portait bien son nom...

Nous ne fûmes pas seuls avant le lendemain, lorsqu'il me proposa une promenade.

Il me prit par le bras, comme il avait fait la veille pour passer à table, et à nouveau ce geste d'homme me surprit et me remplit d'une sensation délicieuse : il me faisait devenir moi-même femme, et je demeurai dans cet état de ravissement, comme si sa présence avait suffi à provoquer au fond de moi je ne sais quel épanouissement secret, durant tout ce temps où nous nous sommes avancés dans les allées du parc, que le souffle d'avril teintait d'un vert tendre et où il faisait virer vers un indéfinissable rose le brun de l'hiver. Nous marchions doucement, aussi intimidés l'un que l'autre. A ce bonheur continuait à se mêler l'étonnement. Rien de ce que j'avais imaginé durant ces semaines et ces mois où je ne pensais qu'à cet instant, rien n'était juste. Pas plus que sa voix. Je n'avais songé qu'au temps qui passe. J'avais compté les jours et soupiré après les heures : et j'avais oublié le changement qu'amène le temps. J'étais restée prisonnière de mes souvenirs et des images que je portais en moi. J'avais quitté un garçon, j'attendais un garçon ; je me regardais changer dans mon miroir sans comprendre que je changeais : et un seul geste de lui m'apprenait ce que j'étais devenue. Je n'avais pas plus envisagé cet uniforme bleu, rouge et or, ces cheveux poudrés, cette bouche ferme et forte, que la manière déférente, un peu cérémonieuse qu'il avait de m'interroger, de me demander comment j'avais occupé mon temps, si j'avais progressé à mon clavecin, quelles pièces nouvelles j'avais jouées. Je répondais par de petites phrases compassées et plates où je ne savais plus comment mettre tout ce que j'avais à lui dire et que j'avais oublié. Par éclairs il redevenait tel que je l'avais gardé en moi. Je me rappelle que, brusquement, lorsqu'il me parla des concerts qu'il avait entendus à Paris, il y eut quelque chose de vif dans sa voix, une ardeur joyeuse, pour me parler d'un Monsieur Schobert qu'il avait aimé et dont il me rapportait les sonates. Ainsi la musique prépara nos retrouvailles ; mais ce furent les lieux familiers qui firent le reste. Nous arrivions à l'étang ; je le regardais contempler l'île où, à douze ans, nous jouions sans le savoir un avant-goût de Paul et Virginie. Nous passions devant le temple de l'Amour. Nous nous acheminions vers la rivière. Ce sont les lieux qui jouèrent pour nous le rôle d'aimables entremetteurs bénévoles. Nous nous reconnaissions l'un et l'autre à travers eux. Pour moi, ils étaient la substance même de ma vie, du plus précieux de ma vie, c'est-à-dire mes rêves. Je ne vous étonnerai pas, Monsieur, en vous disant que j'avais rempli des cahiers entiers avec les « rêveries d'une promeneuse solitaire ». Ils sont perdus, et l'on sourirait, je sourirais sans doute moi-même, en les relisant aujourd'hui : mais j'y avais mis toute mon âme. Ces phrases qui n'étaient qu'à demi de moi, elles étaient moi : moi dont tout l'horizon se limitait au parc et aux hameaux qui l'entouraient, j'avais envié les garçons qui peuvent faire des voyages à pied, dormir à la belle étoile sur les bords de la Saône, avec *la voûte céleste pour ciel de lit* (j'avais écrit ces mots sans même honte de mon plagiat...). J'écoutais, le soir, dans ma chambre, les rossignols se répondre, ma plume levée, *soupirant seulement un peu,* ainsi qu'écrivait mon illustre modèle, *d'en jouir seule.* Mais pour Jean-Jacques, qui avait quitté ces lieux depuis trois ans, ils étaient l'occasion d'une succession de surprises. « Je n'avais pas souvenir que le pont de bois fût si étroit », ou « Est-ce ici que j'ai construit le petit moulin qui n'a jamais voulu tourner ? » J'étais son guide et son mentor au milieu du décor de notre enfance. Et c'est à force de nous dire « Te rappelles-tu ? » que nous avons fini par retrouver... quoi donc ? Peut-être justement notre île : je veux dire moins cette minuscule prairie au milieu de l'étang, avec un bouleau, trois buissons et les restes de notre cabane, que le secret qui nous unissait. A un moment, il s'arrêta, prit ma main et, mêlant cette galanterie nouvelle qu'il avait dans ses gestes à ce qui peu à peu remontait de nos cœurs, il la porta à ses lèvres.

« Je suis heureux de te revoir, Héloïse... Tu es devenue une très belle jeune fille. »

Je n'ai pas rougi. C'est que dans cet espace de moins d'une heure, j'avais fait un prodigieux voyage en tous sens, et qu'il m'avait fait passer par toutes ces étapes : fille timide, romanesque et pudique, dont la moindre émotion bouleversait les traits et embuait les yeux ; puis femme, tout à coup étonnée de se voir traitée en femme et plus encore de se sentir le devenir ; puis enfant de nouveau en redescendant, avec celui qui d'un geste venait de me faire femme, au fond de ce que les allées du parc, les arbres et l'eau faisaient renaître en nous et qui nous liait l'un à l'autre depuis toujours. Et je ne saurais dire qui, de la fille, de la femme et de l'enfant, le regardait, sans rougir, me dire en souriant :

« J'ai songé à toi bien souvent, mais je ne croyais pas te retrouver parée de tant de grâces... »

Mais lorsqu'il ajouta : « Pensais-tu à moi quelque-fois ? », je ne pouvais répondre autre chose que : « Je n'ai cessé un seul jour » ; et cette fois, je rougis.

Je vous permets de rire, Monsieur, si vous voulez. Je vous permets aussi de le faire quand je vous aurai dit quelle fut dès lors notre occupation favorite. Nous ne nous quittions plus, nous courions ensemble la campagne, nous parlions, nous lisions, nous faisions de la musique, et le reste du temps, nous le passions à nous écrire... Sans doute aurez-vous raison de vous moquer... Pourtant, quels mauvais disciples de Rousseau aurions-nous été si nous ne nous fussions pas écrit des pages et des pages de lettres... Nous n'avions nulle raison de le faire, puisque nous nous voyions chaque jour, à toute heure du jour. Mais nos lettres s'enchaînaient l'une à l'autre, et quand nous n'étions pas ensemble, nous étions à notre table, chacun dans sa chambre, en train de nous écrire. Parler, Monsieur, est une chose. Entendre les mots délicieux, les voir sur les lèvres de celui qui les prononce, regarder ces lèvres que l'on désire dire des choses exquises au cœur, c'est parfois presque plus doux que le baiser. Mais écrire... Mais lire... On n'est pas vis-à-vis de celui qu'on aime, et pourtant il est là : on provoque soi-même sa présence. Je suis seule, et il est là : entièrement et exclusivement formé par mon cœur, à son image, en quelque sorte. S'il était là, ce serait par sa volonté : tandis que je lui écris, il n'est que l'enfant de mon désir. Puis vient l'attente, qui n'est plus que le désir à l'état pur : et lorsque arrive la réponse, chaque mot que je lis est une surprise, mais je recompose son discours selon mon cœur, alors même que je modèle mon cœur sur ce que je lis. Je ne dirais pas, Monsieur, que je préférais d'écrire plutôt que de parler : vous ne me croiriez pas, et vous auriez raison. C'étaient deux manières différentes de dire l'amour. L'une faisait désirer l'autre. De lui avoir écrit, j'avais davantage l'envie de le voir. Nous nous parlions de ce que nous avions écrit, et nous en redoublions le plaisir. De l'avoir vu, de lui avoir parlé, de l'avoir écouté, d'avoir goûté ses paroles comme si c'étaient ses lèvres elles-mêmes, je rebâtissais le bonheur en écrivant encore... Un moment plus tard, nous serions en promenade au fond du parc, moi une fleur à la main qu'il m'aurait donnée et dont je caresserais mes lèvres et ma joue comme si c'était une part détachée de lui : mais il fallait qu'auparavant nous nous fussions glissé un petit papier plié en huit, furtivement, en passant derrière ma mère, ou derrière Madame, ou derrière un domestique, qui peut-être faisaient semblant de n'avoir rien vu. Nous écrivions quatre lignes, ou quatre pages. Nous récitions des phrases entières des lettres de Julie et de Saint-Preux (mais *La Nouvelle*

Héloïse n'était-elle pas mon livre ? Toutes ses phrases ne nous appartenaient-elles pas ?). *Vous m'aimez, vous me le dites et je soupire ! Le cœur ose désirer encore quand il n'a plus à désirer !* Ces petites pointes sentimentales et précieuses nous enchantaient. Nous les savions par cœur. Nous les avions sucées avec le lait de nos mères. Nous ne savions plus distinguer ce qui était de Rousseau de ce qui était de nous. « Ma tendre Héloïse... », « Mon cher Jean-Jacques... » : même les prénoms que nous écrivions en haut de chaque feuille ne pouvaient que nous embrouiller l'esprit...

Comprenez-vous, Monsieur, pourquoi je vous ai si longuement raconté ma vie d'enfant ? Ce n'est pas une vie d'enfant ordinaire. Je ne crois pas qu'il soit arrivé à beaucoup d'autres ce qui s'est passé pour nous deux. On aurait dit que tout, depuis le jour de notre naissance, tous les petits événements dont était faite notre vie, tout ce qu'on avait fait de nous, ce qu'on nous avait appris, était une sorte de conjuration pour nous faire parvenir, Jean-Jacques et moi, dans cet état où nous nous trouvions, à seize ans, l'un en face de l'autre. Je suis bien certaine que les autres jeunes gens ne sont pas, comme nous le fûmes, éduqués d'une manière qui les prépare aussi singulièrement à l'état d'amoureux, et ne les prépare qu'à cela. Tout, absolument tout ce qu'on nous avait enseigné, la vie que nous avions menée, les livres que nous avions lus, les sentiments qu'on s'était appliqué à faire germer dans nos âmes, ce qu'on nous avait appris à aimer, et les événements eux-mêmes, et jusqu'à l'absence et la séparation ménagées comme à-propos, tout convergeait vers cet état. Sans doute ni Madame, ni ma mère, ni Monsieur, ni Monsieur Simon n'y avaient seulement songé. Ils n'avaient d'autre pensée que de semer de la bonté, de la douceur, de la tendresse. Ils nous voulaient parfaits. Ils nous voulaient, comme on disait alors, sensibles. Ils ne savaient pas qu'ils bâtissaient autour de nous cet incroyable piège. Ils étaient tout pleins de ce grand rêve qui les animait, cette exquise chimère, qu'ils projetaient sur nous comme sur des fleurs précieuses que l'on arrose avec soin, que l'on protège, dont on regarde en souriant paraître les bourgeons. Les amoureux, Monsieur, que font-ils, qu'aiment-ils ? Leur plaisir est de se promener dans la campagne. Ils trouvent le monde admirable et beau. Ils s'extasient à la vue d'une haie d'aubépines fleuries ou au spectacle d'un nid d'oiseaux. C'est ainsi. Or tout ce qu'on nous avait appris nous préparait à trouver le monde beau, à aimer les oiseaux et à nous attendrir à la vue d'un nid. On avait dilaté ce qui en nous-mêmes était naturellement en connivence avec l'amour, complice de l'amour, lié à lui en quelque manière. Maintenant, nous avions seize ans, nous étions aimables et beaux. Et lorsque nous fûmes prêts, lorsque cet amour fut devenu tout à fait formé et épanoui, c'est alors que ceux qui l'avaient si soigneusement ensemencé dans nos cœurs le découvrirent soudain avec stupeur et s'effarouchèrent de leur œuvre.

Nous avions attelé le petit cheval gris, nous étions partis, comme un jour ordinaire, nous promener dans la campagne. Ce fut la dernière après-midi de ma vie heureuse : je veux dire la dernière fois que j'ai cru que le bonheur était un état qui allait de soi et ne se séparait pas de l'insouciance. C'est le milieu de ma vie. Je me souviens de tout. Ce qui allait arriver a gravé les détails de cette promenade ordinaire. Le ciel était parcouru de gros nuages bouffis et soufflés. La saison était en retard à cause de ce mauvais hiver que nous avions connu, et le redoux était arrivé brutalement, comme avec excès. Nous nous sommes arrêtés au moulin où nous avons bu une bolée de cidre frais et Jean-Jacques a raconté aux deux petits garçons des histoires de batailles. C'étaient bien sûr des batailles romaines. Ils ouvraient de grands yeux : en ce temps-là, dans un hameau de la campagne française, savait-on ce que c'était qu'une bataille ? On croyait que cela ressemblait à une embuscade contre le collecteur des impôts, ou à la course de cinq gendarmes à cheval contre des voleurs au coin d'un bois. J'avais une des petites filles sur mes genoux, deux autres auprès de moi sur des escabeaux. Vous voyez : je sais tout par cœur. L'aînée des filles, qui avait un peu moins que mon âge, était avec sa mère, au potager, et lorsque nous sommes repartis, elles se sont redressées au milieu des choux : « Prenez garde à l'orage, il ne tardera guère... » Que serait-il arrivé si nous l'avions écoutée et que nous eussions rebroussé chemin ?

Mais nous n'en avions cure. Nous avons dépassé les bois, vers les bocages. Je ne sais si Jean-Jacques savait où il nous menait, ou s'il laissait le petit cheval nous guider. Je ne m'en souciais pas. Je me souviens de tout, sauf d'une chose : je ne me rappelle plus si nous parlions : dans mon souvenir, c'est le silence. Et quand je vous dis que c'était un jour comme les autres et une promenade ordinaire, ce n'est peut-être pas vrai. Peut-être savions-nous que ce jour-là allait être celui où nous donnerions à l'amour son nom, et que par conséquent il fallait que notre promenade nous menât le plus loin possible. Enfin l'orage a en effet fondu sur nous. Je me demande comment nous n'avions pas remarqué sa venue, lorsque les nuages se sont obscurcis. Sans doute étions-nous dans l'un de ces moments où l'on ne croit pas que les choses vont arriver. Ou bien voulions-nous aller encore un peu plus loin, juste encore un peu, avant de revenir en arrière. La terrible pluie qui nous inonda en quelques minutes ne fit que nous faire rire comme des enfants. Nous étions sans inquiétude. Le plus troublé de nous trois était le petit cheval qui frémissait à chaque éclair. Nous nous sommes arrêtés d'abord sous un grand arbre et c'est là, sous le crépitement de la pluie autour de nous, qu'il m'a embrassée. Sous ce chêne, nous étions comme dans une île, comme dans une maison dont les murs auraient été de pluie. Le ciel était devenu si sombre que nous n'avons pas senti la nuit descendre sur nous. L'inquiétude a fini par venir, non pas pour nous, mais pour ceux qui nous attendaient. C'est à cause d'eux que nous avons voulu rentrer. Jean-Jacques avait mis son habit sur mes épaules et nous sommes partis. Mais il était impossible de continuer. Nous avons trouvé une grange et nous nous sommes arrêtés à nouveau pour nous abriter. La nuit était tout à fait tombée.

Et voilà ce que fut, je ne dirais pas ma nuit de noces : nous étions si chastes... Croiriez-vous, Monsieur, que nous avons passé cette nuit, seuls, à demi dévêtus pour faire sécher nos habits, à nous embrasser, à nous caresser, à nous extasier l'un sur l'autre dans l'obscurité de cette grange, à nous exclamer sur la bonté de la nature qui nous faisait garçon et fille, homme et femme, sans même songer que cette même nature avait prévu que nous fussions homme et femme tout à fait, cette nuit-là. Ou du moins si Jean-Jacques l'a pensé... Mais non : que lui aurais-je refusé ? Ce fut donc notre nuit de fiançailles, si vous voulez. Notre nuit de noces, ce serait pour plus tard.

Voilà, Monsieur.

Innocents nous étions, jusqu'à ne pas imaginer que d'autres le fussent moins que nous. Nous sommes rentrés au petit jour. La pluie avait cessé. L'aube grise se levait doucement sur la campagne humide. Tout était exquisément calme et notre bonheur ressemblait exactement à la petite brume légère que la fraîcheur du matin répandait partout, sur les champs au-delà des haies, sur les flaques d'eau dans les chemins creux. Nous avions un peu froid, malgré le foin qui nous avait servi à nous sécher et qui avait été notre premier lit. Nous ne parlions pas. Nous étions... Oui, c'est cela : dans une vapeur de bonheur que nous savourions, sans pensées, sans mots. Ce frais retour dans le petit jour est le cœur de ma vie, Monsieur. C'est l'instant où tout est parfait. Je le garde en moi depuis toutes ces années comme un trésor, comme... Pardonnez-moi, Monsieur, je parle pour vous le raconter un langage de ce temps-là : et peut-être en effet cette image m'est-elle alors venue à l'esprit. Ainsi, je dirais que je le garde en moi comme on tient un oiseau dans la main. On ne voudrait pas qu'il s'échappe, et il faut prendre garde de ne pas serrer trop fort, de ne pas faire mal, de ne pas... Je pleure, Monsieur. Pardonnez-moi... Concevez-vous que la vie d'un être puisse se résumer à un seul moment ? Pour moi, c'est ainsi.

Enfin, nous sommes arrivés au château. Notre esprit s'était éveillé peu à peu, à mesure que nous approchions et que les lieux familiers, le petit bois en surplomb du Temple de l'Amour où vous vous rappelez qu'avait eu lieu la cérémonie funèbre en l'honneur de Rousseau... — si longtemps, si longtemps auparavant... Puis l'étang avec notre île et la barque sur la rive. Nous ne parlions pas, je vous l'ai dit. Jean-Jacques tenait les rênes d'une main, et de l'autre caressait les deux miennes jointes sur mes genoux. Pour moi, c'est dans le chemin creux qui descendait en pente raide vers l'étang, lorsque Jean-Jacques a dû mettre pied à terre pour retenir le petit cheval, que j'ai pris conscience de... dirais-je de la réalité ? Non : ce n'est pas cela. Seulement de la proximité de ceux qui nous attendaient, qui s'inquiétaient pour nous, et à qui nous allions parler dans un instant.

C'est alors, dans le chemin encore obscur sous la voûte des arbres, lorsque j'aperçus la tache claire de l'étang adoucie de brume, que leurs visages se présentèrent pour la première fois comme s'ils étaient vivants. Nous allions arriver. Je devinais les questions inquiètes qu'ils allaient nous poser, j'attendais sans trouble, presque avec plaisir et comme en souriant, les soins dont on allait nous entourer, les plaintes dont on allait nous caresser pour les risques que nous avions courus, et de doux reproches pour notre imprudence. Nous trouvâmes des visages sévères. Je n'oublierai jamais les mots que Monsieur adressa à Jean-Jacques, dans le silence, presque sans le regarder :

« Allez vous sécher, Monsieur, et me venez voir aussitôt dans mon cabinet. »

Je ne sais si ce fut la surprise de trouver, dans le petit matin, tout le monde assemblé et vêtu, ou la sécheresse du ton avec lequel il prononça ces mots, ou si ce furent les mots eux-mêmes, si éloignés de la tendre sollicitude à laquelle je m'étais préparée, ou bien son regard, ou qu'il n'ait pas même tourné le visage vers moi, ou le silence de ma mère et de Madame : je fus déchirée tout entière, d'un seul coup. Nous entrions en souriant, pas même penauds, encore tout étonnés de cette aventure, tout embués des caresses dont avait été faite notre nuit ; cette dureté me fit trembler. Jamais, je vous l'ai dit, jamais depuis que nous étions enfants on ne nous avait fait une véritable réprimande. On nous grondait avec tant de gentillesse, que nous n'étions fâchés que contre nous-mêmes d'avoir été, non pas méchants, mais étourdis. Une sottise, c'était en effet l'acte d'un sot. On ne nous accusait pas de malice : c'eût été faire germer dans notre cœur l'idée que nous eussions pu faire le mal par intention. Et soudain, voici que la voix de Monsieur portait cette incompréhensible menace...

Nous fûmes aussitôt séparés. Ma mère me conduisit dans ma chambre, me fit dévêtir, me changea. Elle me regardait avec une sorte de frayeur, les larmes aux yeux. Elle me fit raconter notre aventure. Je la lui contai. Je ne comprenais pas ses pensées. « Nous avons dormi dans le foin, disais-je, pensant la rassurer. Il pleuvait si fort que les gouttes passaient à travers le chaume », et je croyais qu'elle comprendrait qu'en vérité nous n'avions aucune possibilité de rentrer jusqu'au château. « J'ai cru que notre voiture allait verser dans une fondrière... Quelle chance que nous ayons trouvé cette grange... », et je ne pouvais concevoir qu'elle ne fût pas rassurée, puisque nous étions sains et saufs, et que nous n'avions pas même eu froid. Elle me fit coucher, me fit apporter du bouillon, ferma les rideaux et me quitta, l'air tout aussi effrayé et les larmes aux yeux : « Tu es une grande étourdie, mon Héloïse... »

Je savais bien que j'étais étourdie ; enfin : que nous avions été étourdis, l'un et l'autre. Je ne comprenais pas ce singulier, et moins encore le ton avec lequel ma mère prononçait ce mot, son expression en me regardant, bien trop grave pour une étourderie ; et moins encore ses larmes. Je restai seule et pleurai à mon tour.

On me fit lever dans l'après-midi, et c'est alors que j'appris que Jean-Jacques partait, une heure plus tard, pour rejoindre le régiment de M. de M***.

Nous avions été ensemble moins d'un mois.

Que j'étais sotte, que j'étais innocente, mon pauvre Monsieur... Je n'ai compris que le soir, à la fois tout ce qui s'était passé, et les raisons des pleurs de ma mère et des silences de Monsieur. Il faisait nuit, j'étais couchée, toute baignée de mes larmes, comme on disait alors. Le désespoir s'était insinué dans toutes les parties de mon corps, jusqu'aux extrémités de mes membres, comme une sorte de lassitude si générale que je ne pouvais ni bouger ni penser. Jean-Jacques était parti : c'est à peine si on nous avait laissé le temps de nous dire adieu, en présence de Madame, de ma mère, de mon père, de quelques domestiques assemblés. Monsieur n'était sorti de son cabinet que pour donner à Jean-Jacques une sorte d'accolade que je trouvai froide et qui fit monter en moi je ne sais quel sentiment inconnu de colère et de fièvre (ah ! s'il avait su que c'était la dernière fois, oui, la dernière fois qu'il voyait son fils...). Il lui remit la lettre destinée à M. de M***, et je vis Jean-Jacques enfourcher son cheval, suivi de Claude, son valet qui allait lui servir d'ordonnance, et partir dans son uniforme rouge et bleu. On me fit rentrer si vite que j'eus à peine le temps de remarquer qu'il avait mis déjà son cheval au trot, sans se retourner, et que je ne pus même savoir s'il s'en était allé ainsi, sans un regard pour moi, sans un signe.

Voilà, Monsieur : tout cela en quelques heures.

67

Vous comprenez que ce soir-là, dans mon lit, je n'étais pas du tout dans l'état d'une fille de seize ans à qui l'on arrache son premier amour, son unique amour. L'accumulation des émotions avait été d'une brutalité inconcevable. Il y avait eu cette incroyable nuit, avec la révélation, si chaste, mais la révélation néanmoins, de l'homme. Mon ami, le compagnon de mes jours, le petit garçon de mon enfance, l'amour de mes rêveries de jeune fille romanesque, s'était mué, dans des circonstances elles-mêmes extraordinaires, au milieu de la nuit, dans la tempête et les éclairs, en un homme. Si pudiques que nous eussions été, nous avions communié dans la chair. Les baisers, les émois, les caresses sont beaucoup plus aux cœurs innocents que tout ce que peuvent connaître les amants avertis. Et dans l'obscurité de la grange, à demi dévêtus pour faire sécher nos effets, nous avions... oui, Monsieur... Peut-être pourrez-vous sentir ce que je veux dire. Quelle incroyable chose que la caresse de sa main sur mon sein... Et aussitôt, avec une cruauté, une brutalité incroyables, ce retour, ce départ sans un mot, cette sensation incompréhensible que le bonheur, que la douceur engendraient pour ainsi dire par eux-mêmes une sorte de méchanceté dont je n'avais pas plus l'idée que je n'en avais eu auparavant de cette tendre volupté que nous avions goûtée.

Je sens bien à quel point tout cela peut paraître naïf

et puéril à un homme tel que vous, et croyez bien que je le sens moi-même aujourd'hui. Tant d'innocence, tant d'ingénuité, cela est-il imaginable ? C'est pourtant moi : et vous devriez même concevoir que je ne pouvais pas être autrement, et que Jean-Jacques lui-même avait, lui aussi, été constitué de la sorte, malgré les trois années qu'il avait passées au collège. Et me voilà anéantie dans ma chambre, avec à mon chevet une seule bougie que je ne me décidais pas à éteindre. Peut-être me suis-je endormie, je ne sais plus. J'étais de toute façon dans une torpeur qui ressemblait au sommeil ; et c'est pourquoi les petits bruits qui se firent à ma fenêtre ne parvinrent pas d'abord à ma conscience. C'est au bout d'un moment que je compris qu'ils se produisaient déjà depuis quelque temps. J'en fus si effrayée que je n'osai bouger. J'allais me précipiter dans la chambre de ma mère, lorsque je vis son visage : et je peux dire qu'avant même d'avoir pu le reconnaître, je sus que c'était lui. Vous allez sourire, Monsieur, et de nouveau vous aurez tort. Justement parce que c'était du dernier romanesque, parce que c'était invraisemblable, parce que c'était fou, je ne pouvais pas avoir d'hésitation : le roman reprenait son cours de la manière la plus naturelle. Il avait seulement changé de ton et donnait désormais dans le fantastique. N'importe quoi aurait pu avoir lieu, ou bien rien du tout : mais que Jean-Jacques fût de retour au milieu de la nuit, qu'il eût appuyé une échelle contre le mur, que Claude son valet l'y eût aidé, qu'il fût à nouveau dans ma chambre en me serrant dans ses bras, tout cela, j'y étais pour ainsi dire préparée. Les mots appropriés venaient naturellement dans ma bouche : « Fuyez, mon ami, fuyez ! » Je le disais en le voussoyant comme une héroïne de roman, moi qui lui disais *tu* depuis que je savais parler... Crainte d'être entendus de la chambre voisine où dormait ma mère, nous nous murmurions à l'oreille des choses dont le ton et les mots contrastaient avec ces chuchotements clandestins.

« Héloïse, je pars, puisqu'il le faut. Mais je reviendrai, je te le jure. Je reviendrai parce que je ne puis demeurer sans toi. Je ne sais comment j'accommoderai les événements, mais puisque nos parents ne veulent point de notre union, il faudra nous passer de leur consentement. »

Il ajoutait :

« Héloïse, mon épouse. »

Nous étions redevenus des personnages de roman. Plus que jamais, nous parlions le langage des livres de ce temps-là. Il faudrait que je vous récite des phrases que vous croiriez apprises, que je vous parle de *nos alarmes endormies dans le bercement des caresses,* ou de *larmes séchées dans les langueurs...* Mais est-ce que vraiment nous récitions ? Tous ces mots qui, si je vous les disais, vous paraîtraient convenus et que vous croiriez avoir déjà lus quelque part, étaient la vérité de nos cœurs. Nous aurions été moins semblables à nous-mêmes si nous n'avions tenu de tels discours.

C'est alors seulement que j'ai appris ce qui s'était passé, ce qui s'était dit, durant cette nuit où Jean-Jacques et moi faisions, dans la grange perdue et percée de pluie, l'apprentissage de l'amour auquel nous avaient préparés depuis toujours les douces et aimantes personnes qui avaient eu la charge de former nos cœurs. Pendant que je pleurais dans mon lit, Monsieur dans son cabinet apprenait à son fils que personne n'avait dormi au château, cette nuit-là. On nous avait cherchés partout. Sous la direction de mon père, on avait envoyé les domestiques et les fermiers dans tous les lieux où l'on pensait que nous pussions avoir trouvé refuge : au moulin, à la ferme de grand-père, au village, puis dans les métairies et les closeries isolées dont on réveillait les habitants qui, à leur tour, avec des lanternes et sous la pluie, se mettaient en quête et sillonnaient les chemins creux. Plus tard dans la nuit, au salon où Monsieur faisait les cent pas et où Madame pleurait sur un sofa, ma mère à côté d'elle, l'inquiétude avait peu à peu fait place dans leur esprit au sentiment d'un autre danger.

C'est cette nuit-là, Monsieur, que nos parents — je dis nos parents : c'est-à-dire les maîtres, le comte et la comtesse, et ma mère et mon père, c'est-à-dire la suivante et le régisseur —, c'est cette nuit-là que nos parents avaient ensemble pris conscience que nous deux, Jean-Jacques et moi, nous étions en train de transgresser des lois que, dans l'aimable familiarité où ils étaient les uns avec les autres, ils n'avaient jamais eu la pensée qu'on pouvait oublier. A l'inquiétude où ils étaient de notre sort, s'était peu à peu mêlée cette autre question, que Monsieur avait rudement posée à l'instant où Jean-Jacques était entré dans son cabinet.

« Qu'avez-vous fait, Monsieur, cette nuit, avec Héloïse ? »

Jean-Jacques avait parlé, comme moi, de la pluie, de l'orage, de l'impossibilité où nous nous étions trouvés de poursuivre notre chemin de retour. Comme moi, il croyait avoir tout expliqué. Il avait cru son père rassuré en le voyant sourire à la fin, et en l'entendant dire, avec les mêmes mots exactement qu'avait employés ma mère.

« Vous êtes un grand étourdi. »

Mais aussitôt, le discours de son père avait pris un autre tour.

« Vous avez commis une grave imprudence. Je sais que vous n'avez mesuré ni l'un ni l'autre la portée de ce que vous faisiez. Nous nous reprochons, votre mère et moi, de ne pas avoir davantage pris garde à vous. Nous savons que vos cœurs sont purs et je ne vous fais aucun grief quant à l'attachement que vous pouvez avoir envers Héloïse. Il est naturel, et il est estimable. Néanmoins il n'est pas sans danger, et pour l'un, et pour l'autre. On ne joue pas, mon fils, avec le cœur d'une jeune fille, quelle qu'elle soit, et surtout si elle est bonne et sincère. Il faut que vous cessiez, Jean-Jacques, de consacrer à cette aimable enfant tout votre temps et toutes vos occupations. D'autres que nous, et moins indulgents, pourraient y trouver à redire. Vous devez songer, mon fils, que vous allez devenir officier du roi, que bientôt il vous faudra contracter mariage, que j'ai des plans pour cela, et que vous ne pouvez, par légèreté, les compromettre. »

Et c'est à cet instant, Monsieur, si vous voulez bien voir, que s'était noué le nœud qui, depuis la naissance de Jean-Jacques et la mienne, depuis que nous étions ensemble de ce monde — que dis-je! depuis que nos mères, nos mères sœurs, étaient elles-mêmes l'une à l'autre ce qu'elles étaient —, peu à peu s'était ajusté et serré autour de nous deux.

« Mais, mon père, croyez-vous que je puisse songer à chérir quelqu'un d'autre qu'Héloïse? »

Voilà. Tout était dit. L'œuvre de nos parents, leur folie, leur tendresse, aboutissait à ce point. Car enfin, Monsieur, que nous avait-on appris? A aimer. Que nous avait-on enseigné ? Que les hommes étaient bons et qu'ils étaient égaux. Ah ! Monsieur Simon, outre les leçons de botanique et les leçons de latin, nous avait-il assez parlé du *Discours sur l'inégalité parmi les hommes* ! Et tout dans notre vie, et jusqu'aux visites si douces et si touchantes que Madame faisait aux pauvres gens, et jusqu'aux discours que l'on tenait tout au long de ces derniers jours où l'on préparait les Cahiers qu'on allait envoyer à Versailles pour réformer le royaume et la société des hommes, tout était fait pour nous conduire à cette grange où l'amour, la douceur, la bonté, l'égalité, avaient fait leur œuvre. Et voilà que soudain, d'une manière incompréhensible, c'est cela même qui nous était interdit par ceux qui nous l'avaient enseigné...

Je n'ai pas su, naturellement, tout ce qui s'était dit entre Monsieur et Jean-Jacques. Ce que je comprenais, c'est qu'on ne nous permettait pas d'être l'un à l'autre, qu'il avait dû feindre et attendre la nuit, grimper à ma fenêtre comme un voleur, et que nous étions là, à nous murmurer des choses à l'oreille, de peur que ceux que nous aimions et qui nous aimaient ne nous surprennent.

« Il ne faut pas tromper ceux qui nous aiment.

— N'ont-ils pas fait en sorte que nous les trompions ? »

Je sais seulement ce que Jean-Jacques m'a rapporté,

et les leçons que son père lui avait faites, et qu'il me récitait.

« Je ne veux point d'autre épouse qu'Héloïse.

— Cela ne se peut.

— En quoi, mon père, la sincérité du cœur est-elle contraire à l'honneur?

— Il ne s'agit pas de cela.

— Pourquoi m'a-t-on appris qu'il n'y avait point d'inégalité parmi les hommes?

— Il n'y a point d'inégalité dans la nature des hommes, mais il y a de l'inégalité dans leurs devoirs et dans leurs charges.

— Je n'aspire à rien d'autre qu'à faire le bien, ainsi que vous me l'avez enseigné.

— Si vous voulez continuer à être bon et à répandre le bien autour de vous, il faut que vous en ayez le pouvoir. C'est parce que j'attends de vous que vous fassiez toute votre vie tout le bien possible, et c'est parce que j'ai confiance que vous le ferez, que j'ai arrangé pour vous une alliance qui doit vous en donner le moyen. C'est parce que j'ai pour vous l'ambition que vous serez un homme de bien, et c'est parce que tant de choses se préparent en ce moment pour la réformation de ce royaume, que vous devez avoir pour vous-même l'ambition de vous élever et de vous mettre en état d'avoir un jour l'oreille de votre roi.

— Mais, mon père...

— Vouloir le bien est une chose. Pouvoir l'accomplir en est une autre. Nous vous avons enseigné, votre mère et moi, à le vouloir, et il me plaît de constater que vos sentiments répondent à notre attente. Mais ce que je veux encore vous faire acquérir, c'est la faculté positive d'exécuter ce que votre cœur vous inspire. Cela ne se peut que si vous savez garder l'honneur de votre nom, et que vous vous mettez en état d'acquérir du crédit auprès de ceux qui gouvernent le monde.

— Mais, mon père... »

Monsieur ne laissait plus à Jean-Jacques le loisir de prononcer le moindre mot. Il occupait seul la parole, il parlait en maître, parcourant, les mains derrière le dos, toute la longueur de son cabinet, et revenant sans lever la tête. Puis il s'arrêtait et le regardait en face.

« Vous allez être lieutenant. Croyez-vous qu'avec cet office, et avec les charges que vous gravirez peu à peu, vous n'aurez pas plus d'occasions et de moyens de faire le bien, que si vous étiez simple soldat ? »

Monsieur était un homme bon et généreux, affable, libéral. Vous souvenez-vous des mots qu'il prononçait en soulevant dans ses bras le petit Jean-Jacques ? « Tu portes son nom... » Et ce nom, c'est lui-même qui le lui avait donné, par égard pour le philosophe qu'il vénérait tout comme Madame, et dont il nous avait communiqué la dévotion. Mais le discours sur l'inégalité s'arrêtait en ce point. Monsieur tournait et retournait, devant son fils muet et glacé, cette pensée qu'il semblait découvrir lui-même : pour faire plus de bien, il faut être moins égal. Le monde est ainsi fait qu'il faut en accepter les règles. Et sans le savoir, sans le vouloir, Monsieur mettait son fils dans la situation de croire qu'il était aveuglé, ou hypocrite, lui qui n'était ni l'un ni l'autre. Et moi, que pouvais-je faire ? Je regardais le visage de celui qui venait de me dire « Héloïse, mon épouse », à la lueur de notre petite bougie clandestine qui lui faisait briller les yeux de je ne sais quelle étincelle que je ne connaissais pas. Que pouvais-je faire que pleurer et me laisser caresser par sa main ?

Quelle nuit, Monsieur... Aussi incroyable, bien plus incroyable encore que celle que nous avions passée dans la grange frissonnante de pluie... Qui pourrait se représenter cela ? Personne n'en a jamais rien su avant vous, à qui je le raconte, et qui peut-être ne me croyez pas. Mais si, vous me croyez... Je suis Héloïse. Je n'ai jamais été qu'Héloïse : que pouvait-il m'arriver d'autre que ce que je vous raconte ? Vous devez nous imaginer, Jean-Jacques et moi, cachés derrière les rideaux de mon lit, pelotonnés l'un contre l'autre, moi presque dévêtue dans ma toilette de nuit, avec ma coiffe qui tomba dès nos premiers embrassements ; et lui, tout botté par crainte d'avoir à fuir soudain par la fenêtre, et me meurtrissant les joues avec ses boutons, ses aiguillettes et ses épaulettes. Notre bougie avait fini par s'éteindre. Nous nous parlions à l'oreille. Nous évitions les mouvements, de peur d'être entendus. Mais comment vous faire sentir l'enchevêtrement de ce qui se passait dans nos cœurs : chez lui, cette dureté que je ne lui avais jamais connue, l'indignation, la révolte ; chez moi, la peur, l'angoisse, l'accablement ; et tout cela mêlé de manière incompréhensible à une sorte de jubilation qui venait de notre connivence ; la joie, oui, la joie d'être ainsi l'un à l'autre à l'insu de tous, d'autant plus l'un à l'autre que nous l'étions de cette manière clandestine... Nous tremblions d'être entendus, mais de temps en temps nous l'oubliions, le temps d'une exclamation, ou pour un rire à demi étouffé. Car nous riions aussi, et quand, à un mouvement que fit Jean-Jacques, ses éperons se heurtèrent en faisant un terrible bruit de sonnailles, ce fut le rire qui se mêla à notre effroi, avant que nous ne commencions à interroger le silence avec des battements de cœur... Allez pourtant savoir, allez savoir si, caché trop loin au fond de nous pour que nous pussions le déceler nous-mêmes, en quelque sorte clandestin lui aussi, ne rôdait pas le désir diffus et furtif qu'à la fin on nous découvrît : tant l'impatience et l'agitation, les larmes, les alertes, les baisers, nous avaient conduits à ce degré de folie. La nuit précédente, nos émois étaient tout enrobés dans la surprise heureuse. Nous étions sans arrière-pensée et sans crainte. Le hasard, l'orage, nous avaient conduits à découvrir l'un pour l'autre la douceur des caresses et des baisers. Les mêmes caresses et les mêmes baisers avaient maintenant changé de goût : ils étaient tout voisins des larmes. Ils ne se distinguaient plus d'elles...

Et voilà ce que fut notre seconde nuit. Jean-Jacques partit avant le jour. Nous n'avions guère dormi la nuit précédente, et encore moins durant celle-ci : mais je puis vous dire que si elle avait commencé à la manière d'un roman, elle se terminait bien autrement pour la fille qui fermait la fenêtre après s'être penchée pour le voir descendre un à un les échelons et disparaître dans l'obscurité. Cette fille-là, qui frissonnait de froid, de fatigue, d'émotion, n'avait plus rien de romanesque. Non, je me trompe : je l'étais tout autant, mais d'une autre manière. Il y avait au fond de moi quelque chose que je ne sentis que le lendemain en descendant de ma chambre, de la manière la plus soudaine, à la vue de la première personne que je croisai, une vieille servante que nous appelions Nanou. « Bonjour, Mademoiselle Héloïse. » Elle me regardait en riant ; et moi, tandis que je lui répondais « Bonjour Nanou. As-tu vu maman ? » il y eut, en dessous, cette phrase que je ne prononçai pas : « Tu ne sais pas, toi. » Et tout le jour, quoi qu'on fît, quoi qu'on me dît, il y avait cette réponse immuable que je n'exprimais pas : « Vous ne savez pas ce que vous dites. Moi je sais que Jean-Jacques m'aime et que je suis sa femme. » Sa femme.

J'étais pâle comme un linge, exténuée d'émotions et d'insomnie, je tremblais, j'étais prise de vertiges que je dissimulais et, au-dedans, toute gonflée d'orgueil, de l'autre côté d'un mur.

Voilà. Maintenant commence une autre partie de ma vie.

Le château est vide. Monsieur est parti à Versailles représenter la noblesse aux États Généraux, avec Madame et, naturellement, ma mère. C'est la première fois que je quitte ma mère, et vous savez combien je l'aime. Depuis que je suis née, je n'ai pas passé un seul jour loin d'elle. Pourtant, je n'éprouve aucune tristesse à la voir partir. Depuis le départ de Jean-Jacques, je me cache, j'erre, je me sauve. Je ne supporte pas qu'on jette les yeux sur moi, et surtout de la manière dont on le fait. Madame et ma mère m'accablent de prévenances et d'attentions. On me fait des caresses en passant, on m'embrasse avec une expression de gentillesse trop appuyée. Chaque regard semble vouloir dire « pauvre petite... pauvre enfant... », et je m'enfuis sans desserrer les lèvres : « Vous ne savez pas ce que vous dites. Je suis sa femme. » Ces jours ont été pleins d'animation et de fièvre. On remplissait des malles et des caisses. On pliait des vêtements et des parures. Madame essayait sa robe de cour. Toute cette activité glissait sur moi comme si j'étais devenue de roc. Je traduisais ce qu'on me disait comme si je parlais désormais une autre langue, que personne ne pouvait comprendre.

Bien entendu, le jour du départ, nous avons pleuré, nous nous sommes embrassées des dizaines de fois. Nos adieux ont eu le petit caractère théâtral que nous donnions à toute chose, comme on aimait faire dans ce temps-là. Mais personne n'est triste. Madame se fait une telle joie de voir Versailles, d'être présentée à la reine, de lui parler. Quant à Monsieur, vous pouvez penser d'après ce que je vous ai dit de lui avec quel enthousiasme il monte en voiture pour cette grande affaire qui occupe son esprit depuis des mois, que dis-je : depuis toujours. C'est comme si toute sa vie, toute leur vie, tout ce qu'ils aiment, tout ce qu'ils pensent, tout ce qu'ils croient, allait enfin prendre forme et devenir réalité : le roi les appelle, le roi réunit les hommes éclairés de son royaume afin d'y mettre de l'ordre, de la justice, de la tolérance et de la raison. Lorsque Monsieur monte, le dernier, dans la voiture, et qu'il se retourne vers ceux qui restent, mon père, moi, tous les serviteurs de sa demeure, il rayonne...

Ce que je ne sais pas, tandis que je regarde leur belle voiture à quatre chevaux faire lentement le tour de la terrasse, suivie de celle qui transporte les malles et les caisses, ce que je ne sais pas, c'est que je ne les reverrai jamais. Je ne reverrai jamais ma mère. J'essuie trois petites larmes sur mes joues, en souriant, je donne la main à mon père, nous faisons des signes avec nos mouchoirs quand la voiture passe la grille. Ils croient, nous croyons tous, qu'ils seront absents quelques mois, sans doute jusqu'à l'automne, autant que durera cette Assemblée qu'a convoquée le roi. Mais pour ma mère, pour Madame, pour Monsieur, au bout du voyage, au-delà de Versailles, il y aura la Conciergerie, et puis l'échafaud.

Que nous sommes peu de chose, Monsieur. Que nous sommes ignorants. Chaque fois que je pense à ce départ, je me demande comment il se peut que nous ne sachions pas, que nous ne devinions pas la gravité des choses. Nous sommes légers. Chaque fois qu'on se quitte, on devrait le faire comme si c'était pour toujours. Mais non : on songe à de petites choses sans importance, à des futilités. Je pense que je suis bien heureuse qu'ils s'en aillent parce que enfin je vais être seule et que je n'aurai plus à supporter des présences qui se sont mises à me peser. Je ne puis même pas dire que je le pense : je le sens, je ressens une impression vague d'apaisement et de calme, comme si tous mes nerfs se détendaient à la fois. Je souris à mon père. Je parle à Nanou qui est à côté de moi, je prends la main de grand-père pour le rassurer, lui qui n'est jamais allé au-delà des limites du bocage, et qui s'inquiète d'un aussi long voyage. Je suis légère et gaie. Ensuite, on n'a plus assez de toute la vie pour regretter le dernier regard, le dernier mot, la dernière pensée. « J'aurais dû dire ceci... », « J'aurais dû faire cela... », « J'aurais dû prêter attention... » Toujours « J'aurais dû... » : mais comment ferait-on ? Les plus graves dangers que nous pouvions imaginer, c'était un essieu brisé dans une fondrière, une mauvaise auberge... Il n'y avait même plus de voleurs à craindre sur les chemins. Et moi, je souhaitais d'être seule, je voulais penser à Jean-Jacques, me promener dans l'île en imaginant son retour. Son retour... Je vous le raconterai tout à l'heure.

Ou bien préférez-vous que je le fasse tout de suite et que je commence par là ? Oui, je vais le faire...

Je l'ai attendu aussi longtemps que la première fois, et même davantage. Quatre années, Monsieur. Quatre années pendant lesquelles... Vous me regardez. Je lis dans vos yeux ce que vous pensez en vous-même : « Cette fille a passé toute sa jeunesse à attendre... » Mais non, mais non... Je vous l'ai dit, j'étais bien occupée. Je travaillais, je vaquais, je pensais. Je chantais encore quelquefois. C'est vrai, je n'avais plus de clavecin. Et puis tant d'événements se préparaient, la vie allait devenir si difficile, on n'aurait plus beaucoup de temps... Pourtant, vous avez raison. J'ai

83

attendu. Et j'ai passé le reste de ma vie à me remémorer ce que j'attendais. Oui, vous avez raison. Tout le temps que je fus jeune et belle (oui, j'ai été belle, et fraîche, et blonde), tout ce temps j'ai eu mon cœur, ma pensée, ma vie, comme fixés hors de moi-même, hors de ce que je faisais et de ce que j'étais. A peine voyais-je quelque chose de beau ou d'aimable, je pensais aussitôt : « Comme il aimerait... » ; ou bien : « Est-ce qu'il aimerait ? » ; ou bien : « Peut-être, lorsqu'il sera de retour, aurons-nous de nouveau cette chance... Nous le verrons ensemble, et je lui dirai que j'ai pensé à lui la première fois que je l'ai vu... » Concevez-vous qu'on puisse ainsi vivre chaque petit bonheur, chaque moment heureux, comme s'il contenait, mêlé au plaisir, à la douceur, un regret ? C'était comme si je n'en éprouvais jamais qu'une part, comme si quelque chose manquait toujours pour que ce moment fût tout à fait délicieux. Ainsi, je vivais pleinement tous les moments de ma vie, sauf ceux qui auraient dû me rendre heureuse. Mais je n'étais pas malheureuse, je vous l'ai dit. Une attente, c'est beaucoup plus qu'un espoir. On ne doute pas. On se trouve même comblé d'une autre manière dans l'instant où l'on regrette. Mais on s'habitue à être ailleurs. On s'assoupit, en quelque sorte. On s'alanguit : « A quoi bon, puisque ce n'est pas encore le moment... » ; « Qu'est-ce que cela fait, puisqu'il faudrait... » On n'est pas malheureux : mais le temps passe. La jeunesse passe. C'est plus tard que vient l'amertume. Tout ce temps... Tout ce temps... Maintenant, alors que je suis vieille et lasse, c'est maintenant qu'il m'arrive de me ressouvenir avec, oui, avec une sorte de colère, que j'ai pu être jeune et belle. Mes larmes de ce temps-là, c'étaient des larmes de langueur, ou d'abattement, ou d'impatience, ou de désir. Mais le joli visage de mes dix-huit ans, mes beaux cheveux... Une jeunesse pour rien. Une beauté pour rien. La pensée seulement qu'il y avait quelqu'un pour qui j'eusse désiré être plus belle encore et à qui j'eusse voulu faire don de tout cela...

J'ai attendu quatre ans.

Lorsque Jean-Jacques était au collège, j'avais aussi attendu : mais on ne reste pas au collège toute sa vie. Il y avait une limite certaine, infiniment lointaine pour la pensée d'une petite fille qui ne mesure pas le temps : mais ce retour était inscrit dans la nature des choses, je pouvais le caresser dans mon esprit, en imaginer toutes les circonstances, en ramassant des fleurs pour en faire un bouquet, en me promenant, en m'asseyant dans l'île sous le petit bouleau que je transformais en cerisier par la pensée à cause de la tapisserie de ma chambre et des cerises de Jean-Jacques Rousseau. J'allais chez Justine et Gaspard, ces petits enfants vers qui nous avait menés Monsieur Simon, vous rappelez-vous ? Nous les avions revus souvent, Jean-Jacques et moi, et lorsque j'y retournais sans lui, ils étaient des témoins. Ils parlaient de lui et le nommaient : « Monsieur not' jeune maître sera-t-il bientôt de retour ? » Mais cette seconde absence n'avait rien de commun. Elle était sans fin et sans limites. Il était on ne savait où, dans les armées qui n'étaient désormais plus celles du roi mais celles de la patrie, et dont on ne savait rien. J'avais reçu des lettres dans les premiers temps, mais bientôt je n'eus plus de nouvelles. Il y avait la guerre, des batailles dont nous entendions parler bien après qu'elles avaient eu lieu. Il y avait la Révolution qui rendait toutes choses incertaines. Il pouvait ne jamais revenir. Peut-être était-il mort. Son retour ne tenait qu'au serment qu'il m'avait fait : c'était une chose secrète entre nous. L'attente n'était plus au-delà de l'espoir : désormais elle était réduite à se confondre avec lui, dans le désordre et la pauvreté de ce qu'était devenue ma vie.

J'habitais maintenant chez grand-père, dans sa ferme, avec Victorine, Jacquot et leurs petits enfants, depuis que le château... C'est le meunier qui vivait au château, qui avait été mis sous séquestre et aussitôt vendu comme Bien National. C'est ainsi, fortuitement et comme par raccroc, que nous avons appris la mort de Monsieur. Pour Madame et pour ma mère, je l'ai su beaucoup plus tard. Nous ne savions rien. Si loin de

Paris, à l'écart des grandes routes, nous n'avions plus de nouvelles, nous ne recevions plus de lettres. Nous apprenions les événements par surprise : que le roi avait été guillotiné, qu'il y avait la guerre, qu'il y avait eu une grande bataille à Valmy... Toute nouvelle nous faisait peur. Les événements se présentaient toujours comme une menace, et nous avions appris à les redouter d'instinct, avant même de savoir de quoi il s'agissait. Ainsi, le jour où le meunier et l'homme noir qui était devenu son ombre étaient venus arrêter mon père et le mener en prison, je n'avais pas eu besoin qu'ils ouvrissent la bouche pour avoir peur.

Je ne vous ai pas beaucoup parlé de mon père ; il avait compté si peu dans ma vie d'enfant. Il n'est devenu mon père que pendant quelques mois, quand nous sommes restés seuls au château. C'était un homme rude, toujours botté, harnaché, le fusil à l'épaule, en train d'arpenter les terres de Monsieur, occupé à surveiller les récoltes, à diriger les vendanges, à faire réparer les chemins, à essarter dans les bois, allant de ferme en ferme, s'asseyant à la table des hommes et parlant grains et regains, comptant les gerbes et traquant les braconniers. Il parlait peu. On le respectait parce qu'il était juste, mais il était trop rigoureux pour qu'on l'aimât : c'est lui, souvenez-vous, qui faisait son rapport à Monsieur sur la misère des pauvres gens qu'il fallait secourir ; mais cela ne se savait sans doute pas, et on ne connaissait de lui que l'homme qui calculait au plus juste la récolte de chacun et veillait aux intérêts du maître. Il partageait plus souvent la vie des fermiers et des laboureurs que la nôtre. Il était rarement présent à notre table, et le premier repas que je pris seule avec lui, le soir du départ de Monsieur pour Versailles, nous étonna autant l'un que l'autre. Nous étions assis face à face, lui et moi, dans la petite salle puisque les grandes pièces du château avaient déjà été fermées, et la cuisinière vint nous servir elle-même. C'était étrange. J'étais amusée de cette situation si insolite, et en même temps intimidée. Je levai les yeux sur lui : il me regardait et nous avons éclaté de rire ensemble. Je le connaissais depuis toujours, j'étais sa fille, et il était si peu mon père... C'était un homme rugueux et bon : mais pouvez-vous imaginer ce personnage bourru et rustique, qui lisait moins de livres que je ne tirais de pigeons, choisissant pour moi le nom d'Héloïse ? Mon nom, comme ma personne, était l'œuvre de deux femmes, mes deux mères. C'est elles qui m'avaient faite, du moins jusqu'à ces derniers jours où l'amoureux de mes songes s'était transformé en un homme. Pas encore un amant, pas encore un époux, mais déjà un homme. Or voici que, presque aussitôt, mes deux mères s'éloignaient de ma vie, et que pour la première fois mon père était assis seul devant moi, autrement que comme le gardien des terres et des bois, le personnage vêtu de cuir et de gros drap : et nous riions...

Nous avons dû organiser notre vie ensemble. Madame et ma mère étaient loin : je devais tenir leur place. C'est moi qui m'occupais de la conduite de la maison ; je régnais sur le château. La cuisinière venait prendre mes ordres, et moi, la fille de la suivante de Madame, je m'installais dans l'étrange situation d'une sorte de châtelaine sans titre, aux côtés de mon père qui désormais dirigeait tout le domaine. Je fus bientôt la confidente de ses soucis : car la première chose qui arriva cet été-là, c'est que les fermiers ne voulurent plus apporter le champart ni assurer la corvée. La récolte avait été si mauvaise après le dur hiver, que les pauvres gens serraient leurs gerbes comme un trésor : et le bruit courait, de bouche en bouche, qu'on ne devait plus rien au seigneur. Nous étions si écartés des grands chemins, dans notre lointaine campagne, que ce n'était que par des bruits, des rumeurs, qu'on sentait s'approcher cette révolution qui, sans que nous le sachions, faisait déjà flamber les villes.

Cela se voyait à des riens, à de minuscules désordres dans le cours ordinaire des choses. Lorsqu'on passait devant l'église, sur la place du village, on voyait parfois des groupes d'hommes, des fermiers ou des métayers assemblés et qui parlaient entre eux, alors que ce n'était pas jour de marché, et qu'à cette heure, ils auraient été autrefois aux champs. Un étranger ne se serait douté de rien : il fallait être de la paroisse et connaître l'ordinaire de notre vie pour sentir qu'il se passait des choses inhabituelles. Non pas chez nous, non pas ici au village, mais quelque part, ailleurs, à la ville.

Je me souviens exactement de la manière dont toutes ces affaires sont apparues pour la première fois parmi nous. Nous revenions de la ferme, grand-père et moi. Je rapportais un grand panier d'œufs et nous nous sommes arrêtés à l'entrée du village, chez le forgeron, pour une raison qui va vous faire rire : c'est que sa femme Gertrude était la première que j'eusse convaincue de suivre mes prescriptions pour l'emmaillotage de son petit enfant... Elle était ma première victoire sur l'obscurantisme. Avec elle, je triomphais enfin, et je faisais triompher les lumières, la philosophie, la santé. Clodius et Gertrude étaient nouveaux venus dans le village ; ils n'avaient pas encore beaucoup de pratique, bien qu'avec les outils à réparer, les chevaux à ferrer, une serrure ici, une crémaillère là, il ne manque jamais de besogne pour un bon forgeron : et Clodius, un gros homme rude et puissant, frappait allégrement son enclume. Mais surtout Gertrude n'avait autour d'elle ni mère, ni grand-mère, ni vieille tante pour lui en imposer et défaire mon ouvrage de prosélytisme. J'étais heureuse. Je suis allée voir son enfant, nous bavardions à l'entrée de la forge, je lui ai donné des œufs de mon panier.

« J'ai marqué d'une croix ceux qui sont frais, pour toi et ton petit. »

Clodius parlait de son côté avec grand-père.

« Donnez-moi donc votre couteau, grand-père, que je vous l'affûte. Qu'est-ce donc que cet homme noir qui pérore là-bas sur la place ? Et qu'est-ce que c'est que ce jargon qu'il dit ? »

Clodius comme Gertrude parlaient le patois de l'autre côté de la Loire.

« Un homme noir ? disait grand-père.

— Vous le verrez bien en passant. C'est un beau couteau que vous avez là. Celui qui l'a fait était bon ouvrier. »

En s'approchant de sa meule et en commençant à pédaler, il appuyait le couteau sur son pouce.

« C'est du bel acier, bien trempé, bien revenu aussi. Et il ne date point d'hier.

— C'est mon grand-père à moi qui me l'a donné quand j'étais gamin. Il sera bien assez bon encore pour que je le laisse à mon petit-fils quand je ne serai plus en âge de couper mon pain. Aussi ne l'use point trop en me l'affûtant. Qu'est-ce que c'est donc que cet homme noir dont tu parles ? »

Nous l'avons su un peu plus tard, en arrivant devant l'église. Il y avait un groupe d'hommes, peut-être dix ou quinze, des métayers et des journaliers : lorsqu'en nous voyant ils nous saluèrent et que leur groupe s'ouvrit à notre approche, nous aperçûmes au milieu d'eux un homme étrange, en habit de ville noir, mais sans perruque. Il avait l'air échauffé et parlait fort, en français de la ville, avec des gestes comme les gens de chez nous n'avaient guère l'habitude d'en faire. Et je voyais en effet tous ces hommes, que je connaissais pour la plupart, avec leurs sabots et leurs grands chapeaux, les mains derrière le dos, qui considéraient avec une expression indéfinissable, où se mêlaient un certain respect, de la méfiance, et je ne sais quelle ironie cachée, cet habit noir d'homme de loi, cette gesticulation, ce langage (nous parlions toujours patois avec les gens du village, même Madame et Monsieur...), ce ton de voix qui devait leur paraître à la fois un peu ridicule et — comment dire ? — futile : grandiloquent, pour les gens de la campagne, cela veut dire futile. Ils ne disaient rien, mais moi qui les connaissais, je lisais sur leur visage : « Grand parleux... » Comme nous avions distrait leur attention par notre arrivée, l'homme s'arrêta de discourir et demanda qui nous étions. L'un des métayers répondit simplement que nous étions des domestiques du château. L'homme s'avança alors vers nous avec un grand geste théâtral, prit la main de mon grand-père dans les deux siennes et la secoua fortement : « Ah! mes amis, dit-il, tout échauffé, les jours sont venus pour vous... » Et sans lâcher la main de grand-père, il commença une sorte de sermon. J'en ris encore, Monsieur, après quarante ans. Il parlait de notre révolte. « Le règne des tyrans touche à sa fin », disait-il. Et à mesure qu'il parlait en secouant grand-père, il commença à s'élever progressivement parmi tous les paysans qui nous entouraient un énorme fou rire. Plus il parlait, plus il élevait la voix, plus il devenait rouge, plus le rire autour de nous grossissait, à l'idée que grand-père et moi, nous allions faire la révolution contre Madame. Le bruit de leurs rires finit par couvrir la voix de l'homme en noir, qui se mit à crier et commença à dire des injures en nous regardant et en levant le poing : « Vous êtes indignes de la liberté, criait-il, vous êtes indignes de la liberté! » Il ne savait plus dire autre chose. A ce moment, Monsieur, j'ai eu presque pitié de lui, j'aurais voulu faire taire tous ces gens. Il avait l'air malheureux, et toute sa grandiloquence et sa fureur se retournaient contre lui. J'aurais voulu lui dire qu'on ne le comprenait pas bien, qu'à ces paysans il aurait mieux valu parler patois pour se faire comprendre... Mais je n'osai pas et tout à coup il se détourna et s'éloigna en proférant des menaces, qu'il y avait beaucoup de choses à changer ici, et qu'il allait veiller à y mettre bon ordre.

Voilà, Monsieur, comment la Révolution est arrivée dans notre village. On pourrait dire : à cause de moi. Tout le monde était sur le pas des portes, autour de la place. On regarda l'homme prendre la bride de son cheval, qu'il avait attachée à un anneau sur le mur de l'église, et quand il eut tourné le coin, on commença à s'approcher de tous les côtés. Tout le monde riait, même ceux qui n'avaient rien entendu, et qui se faisaient raconter, en patois, ce qui était arrivé et ce qu'il avait dit. Grand-père riait aussi, et moi, mon petit mouvement de pitié tout à fait passé, je riais comme les autres. Nous avions bien tort. Nous aurions moins ri, si nous avions su tout ce qui allait arriver. On rit pourtant encore, quelques jours plus tard, quand on apprit que « l'homme en noir » était revenu, et qu'il était descendu à l'auberge en face de l'église. On disait qu'il ne parlait à personne et qu'il se promenait ici et là, dans le village, regardant partout, s'arrêtant sur le seuil des cours, toujours seul, les mains derrière le dos.

C'est ainsi que je le rencontrai en effet, à quelque temps de là. A nouveau, j'étais avec grand-père. Il s'avançait vers nous et, en le voyant, je me ressouvins de ce que j'avais éprouvé à son égard, quand tout le monde riait de lui. C'est pourquoi je lui souris à l'instant de le croiser et m'avançai légèrement avec l'idée de lui faire une politesse. Je voulais par un mot aimable tâcher de racheter l'humiliation qu'il avait subie à cause de nous. Il me vit et me reconnut. Il passa devant moi en me regardant, sans saluer, sans un mot.

Nous n'avons jamais su d'où il venait, ni qui il était. Il n'y avait rien pour le distinguer que son langage venu de la ville, son ton aigre et cassant, comme s'il eût toujours été sous l'effet d'une colère cachée, et son habit noir. Nous ne l'avons jamais nommé autrement que « l'homme en noir ». Il restait au village quelques jours, parfois une semaine, puis disparaissait aussi soudainement et revenait, reprenait ses promenades ou plutôt ses inspections. Il ne parlait presque pas, soupait seul à l'auberge, et ne frayait qu'avec peu de gens, des hommes du village (presque jamais des laboureurs), chez qui il prit l'habitude d'entrer : l'aubergiste, un tisserand, le forgeron Clodius, et surtout le meunier. Je crois qu'on aurait fini par s'habituer à sa présence, si étrange et inquiétante qu'elle fût, si inhabituelle dans un village comme le nôtre où l'on ne voyait presque jamais d'étrangers, lorsqu'un jour il revint d'une de ses absences entouré de plusieurs gardes nationaux et revêtu d'une écharpe tricolore. Il fit battre le tambour sur la place, à l'endroit justement où je l'avais vu la première fois, et annonça qu'il était le Représentant du Peuple en mission et qu'il allait organiser le respect de la Loi dans ce village. Je l'entends encore, Monsieur, et cette fois je ne ris plus, j'entends sa voix haut perchée et toute en saccades : « organiser le respect de la Loi... » et, plus cruellement, le lendemain, annonçant à mon père la mort de Monsieur : « ton ci-devant maître... ».

Nous étions assis dans la petite salle, mon père et moi, après souper. Nanou et la cuisinière, tout le monde était déjà couché au château. Nous étions tranquilles et silencieux. Je m'occupais à je ne sais quel ouvrage et mon père, à côté de moi, établissait ses comptes. Mon pauvre père... Plus le temps passait, plus les difficultés s'augmentaient, plus la vie, au village, au château, dans les fermes, devenait désordonnée et inconséquente, et plus il était soucieux de tenir ses comptes justes pour pouvoir, le jour venu, les rendre en bon ordre à Monsieur : comme si la confusion des choses lui faisait craindre qu'on lui en fît à lui reproche... Il n'avait pas encore compris qu'il faisait ses comptes pour rien et qu'il n'était plus comptable devant personne... C'est ce soir-là qu'il l'a su. Il faisait nuit déjà. Nous avons entendu des pas sur la terrasse et des voix d'hommes. On a frappé, rudement. Mon père a pris le chandelier qui éclairait ses papiers et s'est approché de la porte, qu'on secouait de l'extérieur et, avant qu'il l'eût atteinte, nous avons reconnu la voix de « l'homme en noir » : « Au nom de la Loi, ouvrez. »

Nous étions surpris, mais pas encore véritablement inquiets : le règne de l'inquiétude n'avait pas eu encore assez de temps pour s'installer dans les esprits et nous n'avions pas encore eu assez d'occasions de voir « l'homme en noir » à l'œuvre. Mon père a tiré les barres et la porte s'est ouverte brusquement sur deux hommes portant des lanternes ; puis « l'homme en noir » est entré, suivi du meunier, et de plusieurs autres. J'étais restée dans l'ombre et ils ne me virent pas d'abord.

« Citoyen... »

Je n'avais jamais encore entendu ce vocable : il était pour moi attaché à ces lectures de Plutarque que je faisais avec Monsieur Simon et Jean-Jacques lorsque j'avais douze ans. Je ne peux plus le séparer dans ma mémoire de ce groupe confus dans l'obscurité, toute la lumière de leurs lanternes se portant sur leurs visages qu'elle creusait d'ombres et dont elle accentuait et violentait les expressions ; le petit homme noir presque invisible, dominé par l'énorme meunier coiffé d'un bonnet rouge que je lui voyais pour la première fois à la place de sa toque de meunier.

« Citoyen, je viens sur l'ordre du Commissaire du Département poser les scellés sur ce château. »

Je ne voyais pas le visage de mon père, qui me tournait le dos en élevant son chandelier.

« Mais Monsieur...

— On dit citoyen. Donne-moi les clefs.

— Mais c'est impossible. Je suis comptable de ces lieux devant mon maître...

— Tu n'as plus de maître. Ton ci-devant maître a rendu ce qui lui servait d'âme au bourreau. Ne t'inquiète pas, citoyen, tu n'es plus comptable que devant moi, et réjouis-toi plutôt de ta liberté... »

Il a commencé un discours, comme il avait fait sur la place le premier jour, et comme il n'allait cesser d'en faire. Mon père se retourna vers moi et, l'interrompant, ou plutôt comme s'il n'entendait même pas ce qui se disait, il me lança :

« Héloïse, prends une lumière, réveille Nanou et partez chez grand-père toutes deux. »

« L'homme en noir » le coupa à son tour :

« Elle n'en fera rien, citoyen. J'ai aussi reçu l'ordre d'arrêter toutes les personnes ayant participé à la conspiration du ci-devant comte. Je vais devoir interroger les domestiques de ce château. Tous sont suspects, et toi le premier Personne ne doit sortir d'ici. »

Il m'ordonna de réveiller tout le monde aussitôt, et me fit accompagner par l'un de ses gardes. Je dus faire le tour du château avec ma lanterne, frapper à toutes les portes, faire lever Nanou, la cuisinière, les deux filles de cuisine, le jardinier, les deux valets, et tout ce pauvre monde hagard, en tenue de nuit, en bonnet et en coiffe, faisait à travers les couloirs un étrange défilé, qu'on aurait pu trouver burlesque. Il y eut même un incident que personne n'eut le courage de trouver comique : ce fut lorsque l'un des valets se révéla introuvable. Il fallut un long moment à Nanou pour deviner à l'expression d'une des filles de cuisine qu'elle le cachait dans sa chambre et qu'il n'osait se montrer. « L'homme en noir » envoya un valet chercher le garde qui dormait dans sa loge au bout de l'allée et, quand il fut arrivé, tempêta parce qu'il était venu sans sa femme, qu'on dut aller chercher. Il semblait tout connaître de la condition de chacun, de son emploi, de son état. Nous étions debout en ligne devant lui et devant le meunier qui se tenait les bras croisés sur la poitrine et regardait ailleurs. Personne ne parlait. « L'homme en noir » nous considérait avec son air fâché, comme s'il nous reprochait à chacun quelque chose, et que notre contenance et notre accoutrement lui eussent déplu. On entendait renifler la cuisinière et pleurer je ne sais laquelle des filles, à qui Nanou murmurait quelque chose à l'oreille. Cela dura un temps infini. Puis la femme du garde arriva elle aussi : le bruit de ses pas sur la terrasse nous changea en statues. A peine était-elle entrée, que « l'homme en noir » nous apostropha avec violence, en nous commandant d'être plus rapides désormais dans l'exé- cution de ses ordres, puis, sans autre préambule, il annonça que Monsieur « avait reçu le juste châtiment de ses trahisons ». Il nous regarda d'un curieux air à la fois malveillant et suspicieux, comme s'il surveillait sur chacun de nos visages l'effet de ses paroles. Mais personne ne bougeait ni ne parlait et je suis certaine que plusieurs n'avaient même pas pleinement saisi ce qu'il avait voulu dire avec sa périphrase. Comme nul ne disait mot, il reprit :

« Vous ne semblez guère étonnés. C'est donc que vous aviez connaissance de ses crimes... »

Personne ne broncha davantage. Il insista, avec un ton de provocation.

« Vous les connaissiez, n'est-ce pas ? »

Et toujours dans le silence.

« Mais puisque vous les connaissiez, vous auriez dû témoigner votre patriotisme et dénoncer ces agissements criminels. »

A cet instant, le garde leva la main et se racla la gorge. Tout le monde se tourna vers lui : il ressemblait à un enfant qui pose une question stupide au maître d'école, en rougissant et en bafouillant, partagé entre la conscience de sa sottise et son désir de savoir.

« C'est justement ce que je voulais demander. Qu'a-t-il donc fait, not' maître ? »

Ce fut une tempête. On aurait dit que « l'homme en noir » avait attendu exactement ce signal. Il se mit à crier comme la première fois sur la place. Il nous accusa d'être complices. Nous étions trop heureux de bénéficier d'une liberté dont nous n'étions pas dignes. La République avait fait ce que nous aurions dû accomplir nous-mêmes depuis longtemps. « Le poignard, hurlait-il, était trop doux pour les traîtres et les suppôts des tyrans. » Aussi brusquement, il se calma et nous annonça qu'il allait commencer immédiatement l'inventaire, qu'il nous interrogerait l'un après l'autre et que nous ne devions plus sortir de nos chambres.

Il n'avait parlé ni de Madame ni de ma mère. Je n'ai cessé de penser à elles toute la nuit, pendant que ces hommes s'agitaient partout, cognaient aux murs, montaient et descendaient bruyamment, claquant les portes et parlant à voix haute. Le lendemain matin, « l'homme en noir » nous interrogea dans le grand salon : nous étions tous là, sauf mon père et le garde. « L'homme en noir » siégeait derrière le bureau de Monsieur. Les meubles étaient en désordre. On avait détaché tous les portraits, qui gisaient en tas dans un coin : on voyait leur trace sur les murs, un rectangle gris à l'endroit de la tapisserie qu'ils avaient occupé, comme si les ancêtres de Monsieur avaient voulu encore marquer leur absence. « L'homme en noir » discourait encore plus qu'il n'interrogeait. Il nous accusait avec fureur de connaître les cachettes et de ne pas vouloir les dévoiler. « Mais n'ayez crainte, je trouverai, je trouverai... » On ne me permit pas de

101

parler à mon père que je vis partir le même jour, avec le garde, les mains liées, entre des hommes armés. Je ne savais pas encore que j'étais orpheline. Je craignais pour ma mère sans pouvoir imaginer qu'elle aussi, avec Madame, avait rendu « ce qui lui servait d'âme » : je bénis le ciel de ne pas l'avoir su tout de suite. L'après-midi, on me permit de partir chez grand-père. Je m'enfuis, comme j'étais, avec un petit balluchon où j'avais roulé quelques vêtements. Comment aurais-je deviné que j'abandonnais le reste pour toujours, et que je ne reverrais jamais rien de ce qui avait été les lieux, les choses, les êtres dont ma trop heureuse enfance avait été entourée ? Je n'avais emporté que deux objets, les plus précieux, les *Rêveries du promeneur solitaire*, et bien sûr *La Nouvelle Héloïse*, mon livre. Je ne possédais plus rien d'autre, désormais.

Victorine m'accueillit à la ferme qui allait être désormais ma demeure et d'où je n'ai guère bougé depuis lors : car il est temps que je vous dise que cette petite maison où nous allions nous promener, Jean-Jacques et moi, quand nous étions enfants, c'est ici même. Presque rien n'a changé. J'ai placé mon fauteuil il y a bien trente ans près de cette fenêtre d'où je vous parle. Je dis « mon fauteuil » : c'était celui de grand-père. Il était alors placé un peu plus loin, là-bas, près de la cheminée. C'est là que j'ai vu mon pauvre grand-père chaque jour, jusqu'à sa mort, de plus en plus faible, plus innocent dans son cœur qu'il n'avait été, ou bien revenu à l'innocence de son enfance. Je vous ai dit, Monsieur, qu'on ne changeait jamais : on devient seulement davantage soi-même, et c'est encore plus vrai des vieillards. Ceux que l'on aime pour leur bonté et leur indulgence, ce ne sont jamais que des personnes de cœur doux qui s'attendrissent à mesure qu'elles vieillissent : mais aussi il n'est rien de plus impitoyable qu'un cœur dur qui se dessèche avec les os, ou au contraire s'alourdit avec l'embonpoint. Les coups du sort n'y changent rien. Mon pauvre grand-père... Il ne bougeait plus de son fauteuil à la fin, et Victorine avait un enfant de plus. Elle dormait avec Jacquot dans le grand lit que vous voyez là, et qui était alors fermé d'un rideau de toile semé de feuilles et de fleurs. Il y avait deux autres lits, le long de ce mur, pour leurs enfants qui étaient cinq. La porte que vous voyez là-bas donne sur ce qui était alors le fumoir : je vous montrerai tout à l'heure l'immense cheminée où l'on préparait chaque année, à l'automne, les jambons et le lard. Je vous parlerai de ce lieu où l'on cacha Jean-Jacques lorsqu'il revint. Qui pourrait croire que cette petite salle sans fenêtre, noircie de fumée, pas très propre, décorée seulement de chapelets de saucisses et de jambons pendant comme des lustres, pût être de tous les lieux du monde celui qui tient le plus à mon cœur ? Là non plus, rien n'a changé. Le saloir est toujours à la même place, et aussi le grand baquet de bois dont je vous parlerai. Le petit escalier monte vers le grenier et vers le galetas où vivait grand-père, et où il mourut. A côté, je vous montrerai le minuscule réduit qui fut ma chambre. C'est de là que je descendrai, en ajustant mon jupon, à peine éveillée, lorsque Jean-Jacques apparaîtra au milieu de la nuit. Cette chambre était si petite qu'il y avait à peine place pour un lit et une chaise. Victorine m'y mena dès que j'arrivai. J'étais hors d'haleine et tremblante. J'avais couru, mon ballot sur le bras, depuis le château. Elle me força à boire un grand verre d'eau-de-vie qui m'assomma si bien que je m'endormis aussitôt sur la paillasse, sans penser.

Il faut que je vous parle de Victorine. Serait-il ridicule que je vous dise qu'elle fut ma troisième mère ? Si différente des deux autres... C'était une petite femme ronde et rose sous sa coiffe, toujours animée de vivacité et de gaillardise, comme avait été, à ce qu'on m'a dit, sa propre mère, celle que j'aurais appelée grand-mère si elle avait vécu, puisque après avoir allaité Madame, elle avait nourri ma mère. Elle menait aussi prestement ses enfants, ses vaches, son cochon, ses oies, ses poules, son mari, toujours accompagnée d'un chien, aussi pétulant et remuant qu'elle. On aurait dit qu'elle était née pour nourrir le monde, le plus de monde possible : le sein pour les tout-petits, la soupe pour les humains, la pâtée pour les animaux, et encore les miettes pour les oiseaux qui entraient d'un coup d'aile par la fenêtre et perchaient sur la table, sachant qu'ils ne repartiraient pas le bec vide. Elle n'était heureuse que lorsque tous les êtres vivants qui l'entouraient étaient rassasiés. C'est vous dire sa désolation, sa détresse, lorsque les années de disette que nous avions connues avaient détruit sa raison de vivre et son vrai plaisir. Mais l'occupation quotidienne, l'acharnement besogneux de Victorine, cet incessant souci qu'elle avait que tout le monde fût repu, délivraient si bien son esprit de toutes les autres difficultés de la vie, qu'elle savait d'un revers de main balayer vos soucis et vos peines. Je lui dois la vie, Monsieur. Je lui dois de n'être point morte, de chagrin, d'épuisement, de lassitude, de dégoût. Elle prenait ses décisions aussi vite que le lait bouillant jaillit de la casserole. Lorsque j'étais arrivée, haletante, au lieu de discourir, elle m'avait saoulée, couchée et bordée. Elle me réveilla le lendemain.

« Debout, Héloïse. Il faut aller au village, c'est l'ordre du Comité. Ils ont sonné le tocsin tantôt, et tu dormais si fort que tu n'as rien entendu. »

Avant que j'aie eu le temps de poser sottement des questions auxquelles elle n'aurait pu répondre, elle tirait ma couverture.

« Ils n'ont pas dit pourquoi. Et sais-tu qui est venu ? C'est Gaspard. Il a un bonnet rouge comme une tête de coq et une pique à bœufs. » Elle fouillait dans mon balluchon. « Tu as même pris tes livres, ma douce folle. Tu aurais mieux fait d'apporter ta brosse pour lisser tes cheveux. Hâte-toi. Tout le monde doit y être. »

En effet, sur la place, devant l'église, nous apercevions une grande foule, plus dense même qu'aux jours de marché, qui nous tournait le dos, comme si tous les habitants de la paroisse et des hameaux, femmes, enfants, vignerons, laboureurs, artisans, tous s'étaient serrés et regardaient vers le porche : je n'avais jamais vu un tel attroupement, pas même pour la fête du village. A mesure que nous approchions, Victorine et moi, nous distinguions une musique qui se mêlait à la rumeur des voix et par moments planait au-dessus d'elle et augmentait le sentiment d'une réjouissance. Je reconnus le violon de Rabâche. Nous avions du mal à approcher ; puis, par un mouvement que je ne compris pas d'abord, ceux qui nous avaient reconnues s'écartèrent, hochant la tête, nous regardant par en dessous et détournant les yeux, sauf un, je me rappelle, qui murmura : « Ah ! Demoiselle... » avant de s'effacer à son tour pour nous faire place. Alors j'ai vu... On avait fait un énorme tas, pêle-mêle, de meubles et d'objets, les plus beaux, les plus précieux. Je les reconnaissais tous : les fauteuils dorés, les tentures, tous les tableaux qui ornaient les salles du château, les portraits dans leurs cadres sculptés, les tapis précieux, des amoncelle-ments de livres, des papiers qui tremblaient au vent et parfois s'envolaient, du linge où je reconnaissais des pans de robes de Madame... Au milieu, Monsieur, il y avait mon clavecin. Je ne voyais que lui. « L'homme en noir » discourait : « Regardez, citoyens, regardez le symbole de votre esclavage... Nous le livrons aux flammes pour purger ce pays des traces de la tyran-nie... » J'ai vu brûler mon clavecin sous mes yeux, après qu'il l'eut fait briser à coups de hache. « Voici les instruments détestables de la futilité des aristocrates oisifs... » Aristocrate, moi... Moi qu'on avait séparée de Jean-Jacques parce que justement je ne l'étais pas...

J'aurais voulu ne pas voir : mais je ne parvenais pas à fermer les yeux, et je regardais de toutes mes forces les flammes noircir les morceaux brisés, la peinture qui ornait le couvercle et qui représentait Orphée, Mon-sieur, Orphée et Eurydice, c'est-à-dire moi, moi et Jean-Jacques... « Ils vous ont affamés pendant des années, citoyens, comme ils avaient affamé vos pères avant vous, pour le plaisir frivole de satisfaire la vanité de leurs désirs aux sons d'une musique évaporée... » Et en se tournant vers le vieux Rabâche qui reprenait son violon : « Ecoutez plutôt la vraie musique du peuple, qu'elle résonne à vos oreilles comme le signe de votre libération... Désormais, citoyens, la vraie fête du peuple réunira ici, pour de justes célébrations... »

J'aurais voulu ne pas voir, et encore plus ne pas entendre : il parlait de la fête du peuple, avec les mêmes mots, je vous l'assure, exactement les mêmes mots que nous avions lus quand Rousseau évoquait les douces cérémonies qu'il appelait de ses vœux, et j'entendais le même Rabâche qui nous avait charmés aux fêtes de la vendange où je chantais à douze ans : *J'ai perdu mon serviteur*... Des hommes attisaient les flammes avec leurs piques, et parmi eux Gaspard, le frère de Justine. Lui aussi portait un bonnet rouge et un pantalon sur ses sabots. Il riait. Croyez-vous que c'est de l'avoir vu, lui, qui amena mes larmes, je ne sais de quoi : d'épouvante, d'horreur, de chagrin, peut-être de honte, parce que c'était mon ami. Je serrais le bras de Victorine. Je voulus m'enfuir. Elle me retint :

« Reste. Reste là. Ne t'en va pas. »

Elle me passa le bras autour des épaules et ajouta entre ses dents :

« Je prie le bon Dieu que tu n'aies pas à regarder de plus grands malheurs. »

A partir de ce jour-là, Monsieur, je vis en recluse dans la ferme. J'aide Victorine. Heureusement qu'elle est là. Je travaille avec elle. Je prépare le repas pour ses petits enfants. Je vais porter à Jacquot de l'eau fraîche et du pain quand il est au loin en train de faucher. Je ne pense pas. Je ne sais plus qui je suis. Le désordre de ma vie continue, des jours, des mois, je ne sais combien de mois, sous cette apparence monotone qu'a toujours eue ma vie. Je n'ai plus de mère, je vais bientôt apprendre que je n'ai plus de père. J'ai un amant, un mari : mais je ne sais pas où il est. Je ne peux plus savoir qui je suis. J'ai été une petite fille que l'on traitait avec autant d'égards que si j'eusse été la fille d'un aristocrate, puisque c'est ainsi qu'on les appelait ; mais je ne l'étais pas. Je ne savais pas que je ne l'étais pas. J'étais l'égale du petit garçon avec qui je vivais, jusqu'au jour où il me traita comme sa femme : alors, sans méchanceté, sans mépris, avec gentillesse, mais avec une rigueur plus douloureuse encore, on me fit savoir que je n'étais rien de tout cela. Puis avec mon père, je fus, sans l'être, comme une châtelaine. C'est alors qu'on me traita comme si je l'étais, et cette fois avec mépris. Maintenant, je n'étais plus rien. Jean-Jacques seul m'avait dit : « Héloïse, mon épouse... » Depuis trois ans, il était je ne sais où, peut-être mort.

Sans Victorine, je serais peut-être morte aussi. Pendant ces mois, je n'ai eu qu'un seul plaisir, mélancolique il est vrai, et peut-être plus triste encore. Je m'en allais, de temps à autre, me promener, non plus dans le beau parc qui m'était maintenant fermé et qui était en train de redevenir sauvage, ni dans les fermes, depuis que j'avais remarqué l'air embarrassé que l'on prenait en me voyant : « Il ne faut plus venir si souvent, Demoiselle. L'on vous aime bien mais, voyez-vous, cela nous porte tort. » Ceux qui me disaient cela m'avaient reçue depuis vingt ans et, je le sais, ils m'aimaient bien en effet. C'est pourquoi je retournais toujours vers la grange, cette grange qui avait abrité, une seule nuit, le seul bonheur de ma vie. J'y portais mon livre, ou je l'y retrouvais, car je l'y laissais parfois dans un coin secret, comme si les pages de *La Nouvelle Héloïse* pouvaient se parfumer de cette odeur de foin désormais attachée au souvenir du seul moment heureux que j'eusse connu. Je demeurais là, sans rien faire, à rêver ; je ne pensais à rien. Ou bien je relisais, pour la centième fois, les tendres lettres des amants séparés.

Jean-Jacques arriva une nuit, bien avant l'aube. Je dormais. Je n'avais pas même entendu les aboiements du chien dans la cour. Ce fut Victorine qui m'éveilla. Elle était près de mon lit, une chandelle à la main et faisait tinter le bougeoir de cuivre :

« Héloïse ! Héloïse ! Viens... »

Elle parlait à mi-voix, mais avec une expression étrange qui d'abord me fit peur. Il n'y avait jamais plus de bonne surprise : le premier mouvement était pour l'inquiétude, et j'étais bien trop mal réveillée pour deviner son expression. Elle ne m'expliqua rien.

« Lève-toi, hâte-toi. Descends vite... »

Elle alluma ma chandelle à la sienne et s'enfuit aussitôt. Je passai un jupon sur ma chemise en tremblant. J'entendais des voix en bas : et moi qui, sans cesse, chaque jour, avais l'image de Jean-Jacques à l'esprit, moi qui ne faisais rien sans que l'idée de sa présence accompagnât le moindre de mes travaux quotidiens, de mes promenades, de mes rêveries, ce matin-là, pas un instant je n'ai pensé à lui, alors qu'il était là, à quelques pas, et que l'événement que j'attendais de toute mon âme, de tout mon corps, avait déjà eu lieu... J'ai fait pire : je suis entrée dans la salle, ajustant mon jupon d'une main, ma chandelle dans l'autre : je l'ai vu, et je ne l'ai pas reconnu... Cette fois, Monsieur, non seulement je vous permets de rire, mais je ris avec vous, tant notre face-à-face fut burlesque.

La première fois, rappelez-vous, la surprise était venue de sa voix, cette voix d'homme que je n'avais jamais entendue et qui me faisait pleurer de ne la reconnaître pas. C'est que je l'attendais si fort, j'étais tellement préparée à son arrivée, que je ne pouvais concevoir qu'il fût différent de ce que mon imagination me présentait. Mais ce matin-là je n'avais aucun pressentiment. Victorine, espiègle, ne m'avait rien dit. Elle m'avait laissée avec mon inquiétude : et je voyais, debout au milieu de la salle, devant la cheminée encore froide à cette heure, une sorte de gueux, hirsute, le

111

visage dans l'ombre mangé d'une barbe noire et sale, les cheveux en désordre sur les épaules, mêlés aux touffes d'une étrange veste en peau de mouton sur des loques de culotte noire. Son visage maculé, maigre, était celui d'un inconnu. Ce sont ses yeux qui me donnèrent le coup au cœur. Il me regardait, moi. A l'instant où je passai la porte, il regardait, il attendait ; il m'attendait. Je ne pouvais voir son sourire, caché par cette barbe de mendiant ; je le vis dans ses yeux. Savez-vous, Monsieur, ce que signifie le mot : « reconnaître » ? Lorsque rien ne vous permet de savoir, lorsque les apparences de tout ce que vous voyez vous portent à prendre le change, lorsque tout semble arrangé pour que vous vous interrogiez : « Qui est ce personnage ? Que fait-il là ? », et qu'à la seconde même surgit en vous avec une incroyable force cette certitude extravagante : « C'est lui... Tout veut me faire croire autre chose. On me montre un vagabond. Mais moi je sais que c'est lui... »

Vous vous rappelez mon désespoir, mes larmes dans l'escalier parce que la voix que j'entendais n'était pas la sienne, du moins pas celle de mon souvenir, parce qu'elle ne suivait pas la mélodie que j'avais bercée si longtemps en moi-même. Cette fois, ce fut une bouffée de paix qui se mit à dilater mon corps, une sorte de respiration profonde toute de calme, de douceur et de force. Pas de trouble, j'allais dire : pas d'émotion, ce

112

qu'il est convenu d'appeler émotion. Pas de vertige. Seulement ce qui est renfermé dans le soupir que l'on pousse lorsqu'on prononce en soi-même, après avoir longtemps attendu, le mot : « enfin... », avec un grand silence au fond de soi. C'est plus fort que de la joie, Monsieur. C'est plus fort que la surprise. Ce n'est pas le vent, ce n'est pas la tempête ; seulement l'air. J'étais immobile contre la porte. Je le regardais et il me souriait des yeux. Ensuite, seulement ensuite, je me précipitai. Il tendit les bras en avant, les mains ouvertes et écartées :

« Ne t'approche pas ! Ne me touche pas ! »

A ce moment, oui, en m'arrêtant dans le milieu de mon élan, à ce moment j'éprouvai un vertige, qu'il arrêta aussitôt comme il avait fait de ma course :

« Je suis trop sale, je suis plein de vermine... »
Et il rit...

« Depuis deux mois, je vis dans les fossés et dans les bois. Il était temps que j'arrive... »
Il rit encore.

« Je t'embrasse à travers l'air qui nous sépare, je ne voudrais pas que ce fût par la procuration de mes puces... »

Cette fois je le reconnus. C'était vraiment lui. Je me mis à rire aussi : et ce rire dénoua ma gorge. Aussitôt, se tournant vers Victorine et Jacquot, il reprit, en riant toujours :

« Vite, faites chauffer de l'eau. Je veux un bain. Je veux pouvoir l'embrasser. C'est urgent. »

Voyez comme il savait bien arranger la vie... Les choses rentraient déjà dans l'ordre naturel. A peine était-il là qu'il régnait comme un maître. Non : je me fais mal comprendre. Pas comme un maître, justement, un donneur d'ordres. C'était de lui-même, de sa personne, de sa voix, qu'émanait quelque chose de si impérieux, de si vif, de si alerte, d'une telle force d'élan et d'allégresse, qu'en une minute tout était transformé : exactement comme à son premier retour, lorsqu'il disait, souvenez-vous : « Mon père... Nous allons changer le royaume, nous allons changer le monde... » Cette maison encore endormie dans l'aube à peine naissante fut aussitôt en activité. Personne, à part lui, n'avait encore dit un mot depuis que j'étais descendue de ma chambre, pas même moi : et déjà Victorine était agenouillée devant la cheminée, soufflant sur les braises. J'étais dehors à tirer de l'eau, je riais, je pleurais toute seule, appuyée à la margelle, oubliant mon seau au fond du puits. Jacquot passait devant moi, venant de la resserre en portant une brassée de bois et il me jetait en riant :

« Hâte-toi, ma belle, si tu veux être embrassée ! »

Personne n'avait eu le temps de poser la moindre question : d'où venait-il ? Pourquoi était-il ainsi vêtu ?

Pourquoi était-il resté deux mois dans les fossés et dans les bois ?

Nous ne l'avons pas su tout de suite, et je ne l'ai moi-même jamais su tout à fait. Il n'a jamais parlé et nous avons bientôt compris qu'il ne fallait pas lui poser de questions. A celles dont nous l'avons assailli dans ce premier moment, tandis que chauffaient dans la grande cheminée du fumoir, derrière la salle (nous y avions aussi fait du feu, pour aller plus vite), toutes les bassines que nous avions pu remplir d'eau, il répondit de manière fuyante et détournée. Nous nous étonnions de son accoutrement en loques, de cette veste de mouton sale et miteuse qu'il nous fit aussitôt jeter au feu. « Je l'ai prise à un Vendéen. — Mais tu as donc été en Vendée ? » Il faisait signe que oui. « Mais n'étais-tu pas en Lorraine ? — J'y étais d'abord. — Et ensuite, tu es allé en Vendée ? — D'abord en Flandres, puis à Châlons, où nous avons fait reculer le roi de Prusse. — Mais qu'est-ce donc qui t'amène ? T'a-t-on donné congé ? N'es-tu point blessé ? » C'est après un moment qu'il laissa tomber :

« Je dois me cacher. On me cherche. »

J'ai aussitôt regardé Jacquot. Je le connaissais bien assez pour deviner qu'il serait inquiet et mécontent, et je ne me trompais pas : son visage ne riait plus. Jacquot était un bon compagnon, mais il était toujours plein de craintes et de soucis : de la grêle pour ses

115

fruits, de la sécheresse pour ses blés, de la maladie pour ses moutons, de la famine pour ses enfants, et de la Municipalité plus que de tout, depuis que « l'homme en noir » l'avait prise en main. On entendit le pas de grand-père qui descendait ; cela fit diversion pour un moment. Je n'ai jamais rien su de ce qui m'avait ramené Jean-Jacques, ni de ses années militaires. Il parla quelquefois de Jemmapes, qui lui faisait briller les yeux, d'autres combats, d'autres batailles. Il n'a jamais rien dit de la Vendée, sauf deux fois : lorsqu'il m'expliqua que son habit, il l'avait pris à un Vendéen mort pour pouvoir se sauver, en laissant dans un trou d'eau son uniforme de capitaine ; et le jour où je parlais de la misère des pauvres gens d'ici, et qu'il murmura en détournant les yeux mais avec un ton de fureur : « Les pauvres gens d'ici, s'ils savaient leur bonheur... » C'est là tout ce que j'ai jamais su. Il m'est arrivé de me dire que j'aurais peut-être dû, moi, le confesser : mais ses expressions aussitôt que, de loin, on approchait de ce sujet, m'ont toujours fait peur. Il avait déserté l'armée, Monsieur : et je devine bien aujourd'hui pourquoi.

Pour l'instant, nous étions dans la surprise et, en dépit de Jacquot, dans les rires. A mesure que les bassines d'eau étaient chaudes, nous les versions dans un grand baquet de bois que nous avions placé dans le fumoir. Nous avons laissé Jean-Jacques patauger seul avec les enfants dont nous entendions les rires avec de grandes éclaboussures d'eau. Il faisait grand jour maintenant; Jacquot était parti aux champs, emportant avec lui la mauvaise humeur qui lui était venue. Je m'étais assise au coin de la fenêtre, ici, exactement à l'endroit où vous me voyez, et je rapiéçais en hâte une vieille culotte et une chemise. Il m'appela. « Héloïse ! je suis propre et je veux t'embrasser. Je veux une paillasse et dormir. — Où allons-nous lui mettre une paillasse ? — Dans le fumoir, il n'y a pas d'autre endroit. » Victorine avait réponse à tout. « Et ta soupe ? — Plus tard. Je veux d'abord Héloïse et dormir. » C'est ainsi que le fumoir est devenu notre chambre nuptiale.

Et ce fut, cette fois, notre nuit de noces. Une étrange, interminable nuit, qui ne cessait de se recommencer, dans la petite salle sans fenêtre. Jean-Jacques ne pouvait se montrer au-dehors sous peine de grand danger, et moi je ne le quittais pas. Notre nuit dura je ne sais combien de jours et de nuits indistincts, à la lueur d'une chandelle ou à la flamme de la cheminée trop vaste, qui rétrécissaient l'espace autour de nous et nous entouraient d'ombres mouvantes. Quelle étrange histoire, Monsieur, que la nôtre... Nous étions condamnés à ne pas nous quitter une minute, à ne rien voir autour de nous, comme si l'on eût voulu nous faire en une seule fois réparation de tout le temps où nous avions été tenus séparés. Je ne me souviens de son visage que cerné et dessiné par la lumière douce, ou au contraire sculpté par le reflet des flammes qui accentuaient la rudesse qu'avaient prise ses traits, les creusaient d'ombres, affouillaient les rides qui lui étaient venues auprès des yeux et crêpaient cette barbe sauvage où je passais mes doigts sans cesser de me poser la même question : comment peut-on à ce point changer le visage d'un homme? C'était lui : et pourtant rien, rien de l'aimable jeune homme dont j'avais gardé dans ma mémoire la douce présence, celui qui me donnait le bras pour passer à table ou descendre les marches du perron, prévenant, tendre, vif, amoureux, élégant, rien ne s'y retrouvait. C'est à des expressions fugitives et presque insaisissables que je le reconnaissais soudain : un sourire, un de ses regards de côté, où pendant une seconde il paraissait aller au-devant de ce que vous disiez ou de ce que vous pensiez, ou bien une certaine manière de tourner la tête, qui tout à coup venaient, l'espace d'un éclair, coïncider avec mon souvenir. Mais ces expressions elles-mêmes n'étaient pas celles que je connaissais : elles étaient changées pour ainsi dire de l'intérieur, marquées de je ne sais quelle inquiétude cachée, par laquelle tout, sur son visage, son front, ses yeux, cette bouche à demi dissimulée par la barbe, tout semblait s'être ren-

118

forcé, non pas durci, mais, si je puis dire, aggravé.

Oui, quelle étrange histoire... Tout se faisait, une fois encore, avec excès. Nous avions été faits pour vivre de la manière la plus douce et la plus unie : et après nous avoir arrachés l'un à l'autre, on nous précipitait l'un vers l'autre, on nous attachait ensemble, on nous enchaînait. Notre union aurait dû n'être peuplée que de rossignols, de fleurs des champs, de clairs de lune ; accompagnée du murmure du vent et du bruissement des fontaines. Tout semblait avoir été arrangé depuis toujours pour que nous fussions unis parmi les champs et les bois, au milieu des gens et des bêtes ; et nous nous trouvions réduits à cette petite chambre obscure, à laquelle une lucarne donnait à peine de jour, si tant est que je puisse appeler chambre cette pièce nue, dont nous distinguions à peine les murs, et dont l'unique ornement était la cheminée, immense, disproportionnée : une cheminée de château pour une cellule. Nous y étions confits dans l'atmosphère sauvage et musquée dont des générations de jambons, de saucisses et de quartiers de lard avaient saturé les murs, noirci les poutres et le plafond. Nous ne la quittions presque pas. Jean-Jacques allait peu dans la salle, par crainte d'une visite inattendue et ne sortait qu'un moment dans la cour, à la nuit tombée. De temps à autre, j'allais aider Victorine à cuisiner, à soigner ses petits enfants, ou à jardiner un moment pendant que Jacquot était aux champs. Les enfants venaient nous rendre visite. Ils s'asseyaient au bout de notre paillasse, l'un à côté de l'autre, suçant leurs doigts et regardant avec des yeux ronds ce gaillard barbu à côté de moi ; ils s'enhardissaient, riaient et jouaient avec nous et nous donnaient un moment l'illusion d'être de vrais époux chargés d'enfants. Cette grande paillasse rebondie, à même le sol, qui occupait à elle seule la moitié de notre chambre, toute bruissante et craquante dès qu'on bougeait, la chaise basse et le baquet où Jean-Jacques s'était baigné le premier jour, le coffre à saler la viande qui nous servait de banquette, de table, de dressoir, que j'avais décoré d'un fichu et d'un bouquet de grandes marguerites blanches qui luisaient doucement dans la pénombre : c'était notre mobilier, notre ménage. Nous n'avions rien. Rien que nous.

Nous étions insatiables l'un de l'autre. Comment sont les autres amants ? Je suis si ignorante... Je n'ai jamais rien su de l'amour que ce que j'ai appris ces quelques jours-là. Se peut-il que leur désir ne cesse jamais de faire naître le désir, et qu'à peine éveillé on ait ainsi envie de recommencer la nuit ? Pour nous, c'était bien facile et, dans cette chambre sans fenêtre, il aurait bien pu n'y avoir jamais de jour... D'ailleurs il n'y en avait pas. Je n'ai jamais vu la mer. Je ne puis qu'imaginer les vagues qui se suivent et se reprennent sans cesse sans qu'on sache jamais quand l'une commence et quand l'autre finit, comme si chacune était la mère de la suivante et en se retirant la nourrissait... Ainsi nous étions de moment en moment projetés l'un vers l'autre par des élans qui se confondaient jusqu'à n'en plus faire qu'un... Aimez-vous la musique, Monsieur ? Je me rappelle, lorsqu'au château je jouais sur mon clavecin, mon pauvre clavecin, je me rappelle l'étrange plaisir que je prenais à prolonger l'exquis tourment de certaines dissonances, jusqu'à cet instant où je ne pouvais plus discerner si elles étaient encore dissonances ou si le pressentiment de l'harmonie dans laquelle elles allaient se dissoudre et que je n'avais pas encore fait résonner déjà les illuminait et les rendait plus délicieuses : l'harmonie déjà présente avant l'harmonie, avant que mes doigts eussent frappé les justes notes... C'est ainsi que notre nuit, notre interminable nuit s'est faite tout au long, de ces flux et de ces reflux, où nous ne savions plus ce qui était reflux et ce qui était flux, désir, plaisir, désir de plaisir et plaisir de désir, sommeil et veille, silence, parole... Nous parlions, nous parlions beaucoup, il y avait tant de choses perdues que nous avions à nous dire et qui se retrouvaient peu à peu : mais ce n'était pas différent du silence. Cela ne ressemblait pas à ce qu'on fait quand on parle. D'ailleurs nous ne parlions pas : c'était un murmure. Nous avons toujours parlé tout bas. Depuis notre grange au milieu de l'orage, depuis notre nuit dans ma petite chambre où nous tremblions d'être entendus, c'était comme si le murmure était devenu le moyen de nous faire savoir l'un à l'autre que c'était à moi seule qu'il parlait, et moi à lui seul. Ou bien nous lisions, l'un pour l'autre, à mi-voix, les livres qui avaient été ceux de notre enfance et dans lesquels, page après page, nous nous retrouvions. Nous approchions de la paillasse la chaise basse sur laquelle nous avions posé notre chandelle. Je l'écoutais. Son visage, à peine cerné par le miroitement de la petite flamme, ne se distinguait plus du murmure de sa voix. Je fermais les yeux : Jean-Jacques n'existait plus que par cette musique grave, grumeleuse, à gros grain, un peu détimbrée puisqu'il parlait bas, avec de temps en temps, dans cette matière rêche, des contours tout à coup veloutés quand elle s'adoucissait autour d'une pensée tendre. Je me fondais dans cette rumeur, je m'y pelotonnais comme dans notre lit tiède. Il m'arrivait de m'endormir à demi pendant qu'il lisait, ou seulement de perdre conscience pendant un temps que je ne pouvais mesurer. Le bercement de sa voix continuait en moi, il me pénétrait et m'enrobait tout à la fois. Puis les mots remontaient à la surface de moi-même, je rattrapais le fil des phrases dont le balancement s'était poursuivi pendant que mon esprit s'évadait du sens des mots. Je retrouvais les phrases que j'aimais, que nous aimions, que nous savions par cœur : *Le bruit des vagues et l'agitation de l'eau, fixant mes sens et chassant de mon âme toute autre agitation, la plongeaient dans une rêverie délicieuse, où la nuit me surprenait souvent sans que je m'en fusse aperçu...* Nous les savions par cœur, mais nous lisions et relisions toujours les mêmes passages, pour le seul bonheur de retrouver ensemble ce que nous avions aimé loin l'un de l'autre, et c'est bien pourquoi je pouvais m'assoupir sans en rien perdre. Sans doute continuais-je dans mon sommeil à écouter les phrases caressées par sa voix ; ou n'était-ce pas plutôt que je m'endormais pour mieux me sentir caressée par elle ? Lorsque la berceuse des mots parvenait à un endroit sensible de mon cœur, il m'arrivait de l'interrompre. Je lui disais : « Redis mon nom. » Il s'arrêtait et disait : « Héloïse. » Il ajoutait : « Je voudrais n'avoir plus rien à dire que les syllabes de ton nom, les réciter comme un poème, les décliner. » Je disais : « Répète-le encore », et je savourais mon nom dans sa bouche. C'était comme s'il me faisait être en me nommant. « Redis encore » : et j'ouvrais les yeux pour lire mon nom sur le dessin de ses lèvres. « Continue » ; et revenait le bercement : *Le flux et le reflux de cette eau, son bruit continu, mais renflé par intervalles, frappant sans cesse mon oreille et mes yeux, suppléaient aux mouvements que la rêverie éteignait en moi, et suffisaient pour me faire sentir avec plaisir mon existence, sans prendre la peine de penser...* Vous le voyez : ce que nous lisions ne nous parlait que de jardins, de prés, d'étangs, d'eaux miroitantes, et

123

de rêveries. Enfermés dans l'obscurité de notre pauvre réduit, nous vivions la liberté des champs par la procuration de Jean-Jacques Rousseau... Il continuait pour nous son étrange office, le même qu'il avait rempli depuis que nous étions au monde. Il y a une page de mon livre, que j'ai toujours : la seule chose qui me soit restée, je vous le montrerai. J'ai écrit dans la marge une date. Je peux vous dire laquelle, mais elle n'a pas d'importance. C'est un jour de juin de cette année-là : 1794. Je crois que j'aurais dû écrire quelque chose comme Messidor an II, mais dans les campagnes nous n'étions pas trop au fait de ces nouveautés. J'ai écrit cette date et, à côté, le mot : « bonheur ». Rien d'autre : *26 juin 1794, bonheur.* J'ai relu cent fois les phrases de cette page. J'espérais qu'elles m'aideraient à me souvenir et qu'un jour le contour des mots, leur son, leur balancement, feraient remonter du fond de moi je ne sais quoi : le goût particulier, la saveur, le ton, le parfum qu'a eu cet instant de notre bonheur, et qui dut être délicieux puisque je l'ai écrit justement pour m'en souvenir. Ces phrases nous les avons lues, il les a lues, ou je les ai lues. Elles contiennent un secret, hors d'atteinte même pour moi. Car j'ai écrit seulement « bonheur », et je ne peux plus savoir aujourd'hui de quoi ce bonheur a été fait. Quelle parole a-t-il dite ? Quel geste a-t-il fait ? ou que j'ai fait ? Pourquoi cette fois-là particulièrement ? Quel baiser ? Quelle caresse ?

Ou peut-être rien : un silence, un souvenir qui nous est revenu et qui nous a émus, et que je ne me rappelle pas. Je sais : tout était uni, ces heures de nuit et ces heures de jour se suivaient, il nous suffisait de si peu de choses... Pourquoi oublie-t-on ? Dix jours seulement, dix jours de ma vie... Ma mémoire est-elle si frivole que je ne sois pas capable de me rappeler chacune des minutes de ces dix jours et de ces dix nuits ? Mais je n'en demande pas tant. Je voudrais seulement pouvoir reconnaître cette minute-là entre les autres, et je ne le puis pas. Elle s'est fondue dans cette grâce continue que je sentais alors couler en moi, à l'image de cette chambre noyée d'ombre où le visage de Jean-Jacques se détachait à peine de la lumière ténue de la chandelle posée sur la chaise basse, et où se renouvelait de moment en moment la surprise de ce corps d'homme auquel je m'apprivoisais peu à peu, émerveillée qu'une telle chose fût possible, et qu'elle fût si délicieuse.

Et maintenant, voici venir la fin de notre dernière nuit. Vous le voyez, Monsieur, il n'y en aura pas eu beaucoup. Une dans une grange ; une dans ma petite chambre d'enfant ; et ces quelques nuits-là chez grand-père, qui sont mes nuits de noces. Il n'y en aura plus. A partir de ce matin-là, je suis une espèce de veuve, la vieille femme que vous voyez devant vous, qui vous raconte cette histoire qu'elle n'a cessé de se raconter à elle-même pendant quarante ans. Je n'ai rien d'autre à raconter, Monsieur, voilà tout.

Je me suis éveillée aux petits bruits que faisait Victorine à côté, dans la salle. On ne pouvait pas savoir l'heure dans notre chambre sans fenêtre. J'écoutais sans bouger, en devinant à mesure les gestes qu'elle faisait. Je l'entendais casser des brindilles : elle était en train d'éclairer le feu. Je prêtais l'oreille à ce qui allait suivre : j'attendais les bouffées répétées de son souffle quand elle ranimerait les braises de la veille. Je les entendais en effet aussitôt, avec le tintement de la pince de fer sur les briques du foyer. Puis il s'y mêlait quelques crépitements : voilà, me disais-je, le feu a pris, et j'imaginais Victorine, à genoux devant la cheminée, son paisible visage souriant rosissant à mesure que s'élevaient les premières petites flammes. La marmite sonnait en cognant le trépied. J'entendais Victorine soulever le couvercle et le reposer. Un instant plus tard, je devinais le grincement de la porte qu'elle ouvrait ; aussitôt, j'entendais les bonds de son inséparable chien sautant autour d'elle en haletant et lui faisant fête. Je souriais en moi-même à mesure que les choses se mettaient ainsi en place, l'une après l'autre, en bon ordre, et que je les reconnaissais au bruit qu'elles faisaient. Je sentais auprès de ma joue le souffle de Jean-Jacques. Que la vie était douce, mon

Dieu, qu'elle aurait pu être douce et bonne, et calme, et heureuse... Je ne bougeais pas. Je savais que Victorine dans un moment allait se diriger vers le lit de ses petits enfants, que je les entendrais s'éveiller, et je pensais alors que moi aussi, bientôt, sans doute... Vous souvenez-vous du petit poupon qu'on m'avait confié quelques jours, l'hiver d'avant la Révolution ? Je me sentais en désir d'enfant. Je posais sous la couverture ma main sur mon ventre, et j'approchais doucement ma joue pour sentir glisser sur elle le souffle de Jean-Jacques en me demandant si déjà je portais un enfant en moi. Le fils de Jean-Jacques. J'entendis l'escalier grincer et le pas de grand-père qui descendait de son petit galetas. Un moment après, la voix de Jacquot. La maison se mettait maintenant en marche pour la journée, et il fallait que je me lève pour aider Victorine. Mais aussitôt que j'ébauchai un mouvement pour me glisser hors du lit, Jean-Jacques remua et m'attira vers lui : l'avais-je éveillé en bougeant ou, comme moi, était-il immobile à goûter cette douceur du matin calme, dans ma chaleur comme j'étais dans la sienne ? Il me prit dans ses bras.

Ecoutez bien, maintenant. Heureusement, il y a cette dernière caresse avant que je ne me lève. Heureusement, il y a ces dernières minutes. Je ne peux pas savoir que ce sont les dernières, mais il y a quarante ans que je sais qu'il faut que je les savoure chaque fois que je repense à elles. J'ai un peu de remords, car il ne

127

faut pas que je laisse Victorine travailler toute seule et je dois la rejoindre. Mais Jean-Jacques m'a prise dans ses bras, je suis encore dans ses bras, il caresse l'un de mes seins et écarte ma chemise pour baiser l'autre. C'est pourtant moi qui l'ai éloigné en riant; je lui ai murmuré, ma bouche contre la sienne : « Ce soir... »

Je me suis levée, j'ai ajusté mon jupon dans le noir, et je suis sortie dans la salle. J'avais les cheveux en désordre, ma chemise mal fermée, et mes pieds nus. Victorine était penchée sur son petit Martin : elle s'est redressée et m'a souri en le soulevant. Comme la mémoire est fidèle quand les événements viennent après coup graver dans vos yeux tout ce qui les a précédés... Je revois tous les détails avec une incroyable netteté : Victorine tient son petit garçon et me sourit; grand-père est assis devant le feu; il a déjà sa canne entre les jambes; il me regarde dans l'encadrement de la porte et me sourit aussi. C'est comme... Je ne sais pas dire cela. Je les vois tous les deux, et je sens glisser sur moi un bonheur qu'ils m'envoient. C'est comme si le bonheur dont je suis encore tout engluée était visible sur moi, sur mon corps, sur mes cheveux en désordre; comme si une partie de ce que je viens de ressentir dans les bras de Jean-Jacques s'épanouissait sur eux au moment où je passe la porte, et que je le lisais dans leurs yeux, et dans ce sourire qu'ils m'adressent.

« Bonjour, ma belle », dit grand-père.

Il m'a toujours appelée «ma belle», même quand j'étais toute petite. Mais maintenant, c'est autre chose. Oui, je suis belle. J'éclate de beauté. Je n'ai pas besoin de miroir pour le savoir. Je sais que tous ceux qui me regarderaient maintenant sauraient qu'il y en a un qui me trouve belle, et qui me rendrait belle même si je ne l'étais pas.

« Bonjour, grand-père. Bonjour Victorine. Bonjour Martin. »

Et derrière les rideaux, j'entends une voix d'enfant.

« Bonjour Héloïse. »

Je me suis dirigée vers le lit des enfants, et la petite Colette a joué à cache-cache avec des éclats de rire. Je l'ai prise dans mes bras et nous avons commencé, les enfants, Victorine et moi, à nous dire les petites choses ordinaires du matin. Grand-père nous écoutait. Jacquot était déjà parti aux champs. Je ne sais combien de temps a passé, jusqu'à ce que nous entendions le chien aboyer si furieusement dans la cour que nous nous sommes tus.

J'ai eu peur tout de suite. Je vous assure, Monsieur, que j'ai tout su à la seconde. J'entends ces aboiements et j'ai peur.

J'ai laissé la petite fille à moitié vêtue, j'ai couru à la porte de notre chambre. Jean-Jacques était déjà debout dans l'obscurité.

« J'ai entendu... Va-t'en... »

Je ressortais à peine lorsque la porte s'est ouverte brutalement, sans heurter. C'était « l'homme en noir ». Sa silhouette à contre-jour le faisait paraître encore plus noir. Il avait la main sur la poignée de la porte et ne bougeait pas ; puis il a dit :

« Visite domiciliaire. »

Et il est entré, son chapeau sur la tête.

J'avais repris Colette sur mes genoux. Je ne voulais pas trembler. Je ne voulais pas m'évanouir. Il ne fallait pas que Victorine se trouble. Il ne fallait pas que grand-père parle. Lui seul pouvait trembler, on croirait que c'était l'âge : mais il ne fallait pas qu'il parle. C'est vers lui que se dirigeait « l'homme en noir » en lançant par-dessus son épaule :

« Entrez, vous autres... »

Ils se pressaient à la porte : Clodius le forgeron, avec sa grande pique, son bonnet rouge et son pantalon rouge ; Joseph, l'aubergiste ; le batelier, deux fermiers de chez le marquis tenant des aiguillons à bœufs en guise de pique, et Gaspard.

« J'ai ordre de contrôler les blés. Il y a trop d'accapareurs ici. Où est ton fils, vieux ? »

Il avait bien changé de langage, depuis qu'il était le maître du pays. Il n'avait plus le ton doctoral qu'on lui connaissait au début. C'est moi qui répondis, avant que grand-père ait ouvert la bouche.

« Il est aux champs. »

« L'homme en noir » me lança un regard.

« Je parle au vieux. Où est ton fils ?

— Il est aux champs.

— On se passera de lui. Allez, vous autres, fouillez tout. Je reste ici.

Mais grand-père parla.

« Il n'y a point de blé. La commune nous a déjà tout pris.

— On verra s'il n'y en a point. On est là pour ça. Allez, vous autres. Fouillez partout. Toi, monte au-dessus. Vous, à la grange. »

Je ne sais comment, je ne sais pourquoi : mais Gaspard s'était dirigé de lui-même vers la porte de notre chambre, là-bas. Il était déjà à mi-chemin, exactement à l'endroit où vous voyez cette chaise. Il s'arrêta et se retourna vers « l'homme en noir », comme s'il attendait aussi un ordre.

« Toi, là-bas. »

Et Gaspard entra. A partir de cette minute, je n'ai que les sensations de mon corps. J'entends l'un d'entre eux monter l'escalier qui mène chez grand-père. J'entends Victorine qui appelle le chien toujours furieux. J'ai les larmes aux yeux et je me dis que je ne dois pas pleurer. Je me penche sur la petite Colette, je la prends dans mes bras, je l'élève jusqu'à mon visage pour le cacher et sécher mes larmes sur sa chemise sans qu'on s'en aperçoive. Ces larmes que je cherche de toutes mes forces à dissimuler, il me vient parfois à l'esprit que ce sont les seules vraies de toute ma vie. Où sont mes larmes, mes petites larmes d'enfant et de jeune fille sensible, qui n'étaient que de tendresse, de douceur, de bonheur, et que je laissais couler en y prenant plaisir ? Celles-ci, on ne doit pas les voir. Toute ma vie s'est réfugiée dans mes oreilles pour entendre ce qui va se passer dans la chambre. J'écoute. J'entends grincer et retomber le couvercle du coffre. J'attends un cri, une exclamation, un remue-ménage ; mais rien ne vient. J'ai le visage enfoui dans le corps de la petite fille, lorsque j'entends tout à coup dans mon dos la voix du meunier :

« On ne cherche pas seulement le blé. On cherche aussi les rats. » Et il rit.

Je relève la tête. Il est en train de faire entrer son énorme carrure dans l'embrasure de notre porte basse et s'appuie contre le chambranle. Il rit.

« Il y a de gros rats qui se cachent partout. Il faut les détruire. C'est eux qui mangent le blé du pauvre monde. »

Vous savez bien comme cet homme m'a toujours fait peur. Son entrée à cet instant, par surprise, les mots méchants qu'il prononçait, ses sous-entendus menaçants et sournois, redoublèrent ma frayeur. J'en oubliais de guetter les bruits de la chambre, j'avais cessé d'écouter, comme si mes oreilles elles aussi s'étaient paralysées. La voix de Gaspard me fit tressaillir ; il ressortait.

« Il n'y a personne, Citoyen Représentant. »

Je serrai Colette contre mon visage pour me forcer à ne pas regarder de son côté.

« Comment, personne ? Tu railles, jean-foutre ?

— Tu peux vérifier toi-même, citoyen. J'ai fouillé partout, il n'y a personne.

— Et la fenêtre ?

— Il n'y a point de fenêtre. »

Dans mes bras, Colette s'est mise à pleurer : je la serrais si fort que je l'étouffais. Je l'ai reposée sur mes genoux, je l'ai embrassée et me suis mise à la câliner : mais elle se débattait et me donnait des coups en criant. Tout le monde regarda vers moi et, croyez-le si vous le pouvez, il se peut qu'elle nous ait sauvés. Les hurlements dont elle remplissait la salle mirent l'homme en colère.

« Est-ce que tu vas faire taire ta marmaille ? »

Et au milieu de ce désordre, cette minute occupée à calmer quelqu'un de plus faible que moi m'a rendu, à moi, une espèce d'assurance : j'ai osé jeter un regard du côté de Gaspard. Il se tenait devant la porte de notre chambre, solidement adossé au chambranle, dans une attitude étrange de force massive qui m'a donné tout à coup la sensation absurde qu'il était posté là comme... oui, comme une sentinelle. Les bras croisés sur sa poitrine, il avait l'air de garder la porte. Je l'ai vu ainsi, l'espace d'une seconde, et quand cette pensée extravagante m'a traversée, quelque chose d'incroyable s'est passé en moi. Je me suis sentie tout à coup forte comme une lionne. Je tenais les mains de la petite Colette, je lui murmurais quelque chose à l'oreille et ce fut comme si ma poitrine se gonflait, comme si au lieu de l'air que je respirais, je m'emplissais d'une liqueur forte. Mes pensées sont devenues soudainement tout à fait fermes et claires. Ne pas regarder Gaspard. Ne pas attirer sur lui l'attention. L'attirer au contraire sur moi. Je me mis à tresser les cheveux de Colette et à lui parler à haute voix comme pour la consoler. Je voulais qu'on ne cessât pas de me regarder, moi. Le meunier était toujours adossé au montant de la porte d'entrée, il me regardait fixement. « L'homme en noir » qui était assis sur un coin de la table, s'était détourné. Il se leva avec nervosité, se rassit, battit sa cuisse avec le plat de sa main. Et c'est alors qu'on entendit craquer l'escalier et que tous les regards se portèrent sur Clodius qui redescendait de chez grand-père. Il avait le bras levé et tenait quelque chose dans sa main :

« Il y a du curé ici... »

C'était la chaîne d'or que grand-père conservait avec tant de soin, sa plus grande richesse, le bijou que Madame avait donné autrefois à celle qui avait été sa nourrice, en souvenir du temps où elle l'avait gardée et soignée : grand-père disait que Madame avait voulu que la petite croix d'or pende toujours sur le sein qui

134

l'avait nourrie, et lui soit une bénédiction. Maintenant, elle pendait au bout des doigts de Clodius qui finissait de descendre bruyamment, le bras toujours levé. Il s'approcha de grand-père et de toute sa force de forgeron lui cingla le visage avec la chaîne.

« Et où est-il, le curé ? Et où est-ce que vous le cachez ? »

A chaque phrase, son bras fouettait l'air et la tête de grand-père.

« Tu le sais, toi, vieux cafard ? Où est-il, ce curé, qu'on le débusque ? Où est-il, le réfractaire ? Où il y a du curé, il y a de l'aristocrate.

Mais je vous l'ai dit, depuis une minute, je n'étais plus la même. Je ne sais comment je me retrouvai debout, la petite Colette dans mes bras qui recommençait à crier, et je marchai vers lui :

« Arrêtez ! Vous frappez un vieillard ! »

Il se retourna vers moi.

« Tais-toi, l'aristocrate. »

Et il frappa encore un coup.

« Et d'abord, on tutoie. »

Il se redressa, s'approcha lentement de la table et, en me regardant dans les yeux, il tordit la croix en l'appuyant sur le bois de toute la puissance de sa grosse main.

« Les aristocrates, c'est comme les punaises. Quand j'en vois un, je l'écrase. Tu vois, je l'écrase. »

135

Il jeta la croix tordue et la chaîne dans les flammes et se mit à remuer les braises avec le bout de sa pique. « Il n'y a pas de bon Dieu, foutredieu. Tu entends, vieux calotin. Il n'y a pas de bon Dieu... »

Qu'est-ce qui fait qu'un homme devient méchant? Vous souvenez-vous de Clodius? Il n'y a pas si longtemps, nous portions, grand-père et moi, des œufs frais à sa jeune femme. Il aiguisait le couteau de grand-père, par gentillesse, par simple geste de complaisance, en plaisantant et en appréciant en connaisseur la qualité de sa lame. Maintenant, je voyais le même homme s'acharner avec hargne et grossièreté sur des faibles, des vieillards et des objets. Son geste était si purement méchant qu'il n'avait pas même pensé que la croix qu'il venait de jeter au feu était en or : sa rage l'emportait même sur la cupidité. N'avez-vous pas remarqué, Monsieur, combien la lâcheté peut transformer un homme et faire commettre de mauvaises actions à quelqu'un qui n'a d'autre défaut que de manquer de courage face aux plus forts que lui? Que de fois j'ai constaté cela, durant cette époque, chez tant de pauvres gens. On peut faire faire n'importe quoi à un homme, si on sait comment faire naître en lui la peur. Que dis-je : il le fait de lui-même, et ceux qui affectent d'être plus méchants que les autres ne sont parfois que les plus faibles. Pauvre Clodius, si fort et si habile quand il portait son tablier de cuir et frappait

136

sur son enclume ou maniait le fer rouge, et qui avait transformé cette force en grossièreté et en cruauté pour faire peur aux plus faibles que lui... Et pauvre Gertrude...

Mais ce n'est pas à cela que je pensais alors. J'étais debout devant lui, et je me taisais, en caressant les cheveux de Colette pelotonnée contre ma poitrine. Il y eut un grand silence, avec seulement un petit gémissement de grand-père. « L'homme en noir » tapait toujours sur sa cuisse. Je m'approchais de grand-père quand on entendit les trois autres revenir de la grange.

« On a piqué les tas de foin. Il n'y a point de monde. »

Alors ils se répandirent dans la salle, soulevèrent les paillasses, piquèrent les rideaux, fouillèrent dans les coins, pendant que « l'homme en noir » se relevait et disait à Victorine :

« Va chercher ton homme aux champs, et qu'il vienne me voir au Comité avant midi. Allez, vous autres, on s'en va. »

Le meunier, qui était resté tout le temps près de l'entrée, sortit le premier, baissant ses énormes épaules pour passer notre petite porte trop basse, puis « l'homme en noir », et tous les autres, en silence, baissant la tête chacun leur tour, jusqu'à Clodius qui se retourna vers Victorine :

« Avant midi ! »

137

Il faillit se cogner et sortit en jurant. On aurait pu rire. Gaspard venait du fond de la salle et il sortit le dernier sans me regarder.

Dès qu'il eut fermé la porte, je me précipitai vers Victorine et lui jetai presque sa petite fille dans les bras pour courir dans la chambre. Elle m'accrocha par l'épaule.

« Garde-la. Occupe-toi d'elle. Ne bouge pas. »

Elle avait raison. Un instant après, la porte se rouvrit. Le meunier s'arrêta sur le seuil, comme tout à l'heure, occupant toute la largeur avec ses épaules. Il nous regarda, regarda grand-père, le lit, la porte de la chambre, moi, et ressortit sans mot dire. Victorine murmura :

« Je le savais. Je le connais, cet homme-là. »

Une longue angoisse, Monsieur, c'est une chose. Mais une peur qui se renouvelle minute après minute, qui ne cesse de changer d'objet, cela déborde. Maintenant, je pleurais de nouveau. Je m'assis sur le lit. Aucun de nous ne bougeait. Nous n'osions plus parler. Je refaisais machinalement les tresses de Colette, pour la deuxième ou troisième fois, et lorsqu'elle tourna vers moi son petit visage bouleversé, et qu'elle dit en regardant mes larmes :

« Pourquoi il..., je lui mis la main sur la bouche.

— Chut... Tais-toi... »

Et elle se remit, elle aussi, à pleurer.

Victorine se leva et se dirigea vers le pauvre grand-père prostré sur sa chaise basse près de la cheminée. Je pris garde seulement alors qu'il n'avait pas cessé de geindre, faiblement : une espèce de plainte pitoyable, comme celle d'un enfant. Victorine prit un linge et allait le tremper dans l'eau, lorsque la porte de notre chambre s'ouvrit et que Jean-Jacques parut. Je poussai un cri : il était noir des pieds à la tête, sa figure, ses mains, son habit... Nous devions avoir l'air si effarés qu'il se mit à rire.

« J'étais monté dans la cheminée. »

J'allai vers lui, je portai mes mains à son visage.

« Ne touche pas ! »

Et du bout des lèvres il m'embrassa.

« Mais comment as-tu pu monter ? Comment as-tu fait ? Comment Gaspard ne t'a-t-il pas vu ?

— C'est lui qui m'a aidé. »

Il partit aussitôt, comme il était, sans rien. Nous n'avons pas réussi à le retenir : il n'écoutait pas. J'ai seulement pu lui dire, alors qu'il se glissait au-dehors : « Attends-moi à la grange. »

Il m'a regardée, la main sur le loquet de la porte, le corps déjà à l'extérieur : « Je t'attends. »

Il m'arrive d'avoir honte, Monsieur, quand je me ressouviens de ce moment-là. Victorine s'affairait autour de grand-père, à genoux devant lui ; elle lui passait un linge sur le visage, elle lui tapotait les mains, elle lui parlait. Et moi, je restais là, les bras ballants ; j'étais bouleversée par le pauvre visage de grand-père, mais je n'arrivais pas à fixer ma pensée, ni à faire quelque chose d'utile. J'allais chercher dans la resserre l'eau-de-vie que Victorine me demandait, je la lui tendais, j'en versais sur un linge, je la regardais faire. Pauvre grand-père... Qu'avaient-ils réussi à casser en lui ? Il n'était pas blessé ; d'ailleurs ce n'est pas cette petite chaîne si légère qui aurait pu lui faire mal, même avec toute la force de Clodius. Il gardait la tête baissée et regardait à droite et à gauche, mais comme sans voir, et sur sa bouche, il y avait cette espèce de sanglot muet, qui n'allait plus jamais le quitter jusqu'à sa mort. Avez-vous déjà vu ce qui se passe sur la bouche d'un tout petit enfant qui va pleurer ? Avant les larmes, avant le cri, cette moue, ce tremblement où on peut lire à la fois la souffrance et l'impossibilité de comprendre la souffrance. Mon pauvre grand-père, si candide, avec l'expression ingénue qui ne le quittait pas et qui paraissait dans les réflexions qu'il faisait avec un petit rire, désormais n'allait plus jamais prononcer que des phrases incompréhensibles qu'il marmonnait sans lever les yeux : « Babette, n'oublie pas ma bourriche... » Babette, c'était sa petite sœur, ma grand-tante, morte bien avant ma naissance. Toujours des bribes d'urgence, des débris de tâches ou de devoirs : « Il ne faut pas oublier... », « Ah oui, je sais bien qu'il faudra... » : comme si au fond de l'âme de grand-père il n'y avait plus désormais qu'une éternelle omission à réparer, si lointaine qu'il ne pouvait plus savoir lui-même de quoi il s'agissait, qu'il lui fallait d'invraisemblables détours pour se la dire, en réclamant à sa petite sœur morte depuis trente ans de lui apporter son panier, et en la confondant avec Victorine ou avec moi. Mais cela, c'était grand-père tel que j'allais le voir les jours, les semaines qui suivaient, jusqu'à sa mort. A cet instant, je regardais son pauvre visage, un peu de bave sur sa bouche, Victorine à ses pieds, qui lui frottait les joues, et je ne pensais qu'à une chose : partir, tout de suite. Je tournais en rond, je sortais dans la cour, je rentrais, j'entendais Victorine me dire, car elle pouvait bien, elle, penser deux choses à la fois :

« N'y va pas. Tu vas te faire prendre. Tu ne sauras pas te cacher. Ils vont te suivre sans que tu les voies et ils te tomberont dessus. »

Elle avait raison. Mais je ne voulais pas qu'elle eût raison.

« Ils ont dit de prévenir Jacquot. Laisse-moi y aller. Si on me voit, je saurai quoi dire. Ensuite, je continuerai par les bois. Reste avec grand-père. J'y vais. »

Si elle avait répondu, je me serais bouché les oreilles. J'ai mis un morceau de pain dans un sac, avec du fromage et un peu de lard que je suis allé chercher dans le saloir : il m'a fallu soulever le couvercle du coffre, où était le bouquet de fleurs que j'avais cueillies la veille, et le livre qu'il me lisait. J'ai encore dit à Victorine : « Donne-moi le couteau de grand-père. »

Vous voyez, j'ai même dépouillé grand-père. Je ne saurais vous dire pourquoi je voulais que Jean-Jacques eût dans sa poche le couteau que grand-père tenait de son grand-père, et que Clodius avait aiguisé un jour. Il avait dit : « Je le donnerai à mon petit-fils. »

Le chien a voulu me suivre. J'ai dû le chasser à coups de pierres. Il s'est mis à geindre, lui aussi. Je me suis dit que je commençais à mon tour à commettre des injustices. Je suis allée droit aux champs où travaillait Jacquot. C'était loin, dans un bas-fond, une prairie où poussait une herbe grossière qui servait de litière aux bêtes durant l'hiver, et qu'on ne fauchait qu'une fois l'an. Je voulais qu'on me vît partir de ce côté. J'ai trouvé Jacquot. Quand j'ai commencé à lui raconter ce qui s'était passé, il m'a presque interrompue et s'est mis en colère, contre moi, contre Jean-Jacques ; il était rouge et hargneux. J'ai failli lui dire que Jean-Jacques m'attendait et que j'allais le rejoindre : sa mauvaise humeur m'a fait tourner les talons. J'ai fait semblant de rebrousser chemin et de rentrer à la ferme, avant de me jeter derrière les haies.

Plus j'approchais de la grange, et plus je craignais de

rencontrer quelqu'un, d'avoir à expliquer où j'allais, ou d'être suivie sans le savoir et de mener moi-même ceux qui cherchaient Jean-Jacques vers sa retraite. Il y a toujours du monde dans les champs et, dans ces chemins creux, on ne peut savoir qui débouchera au prochain tournant. Je m'étonnais moi-même de me trouver si rusée. Je pensais à tout, avec une étrange sensation à la fois de calme, d'assurance, et d'exaltation. Je prévoyais chaque embûche à mesure que j'avançais. Ne pas passer sur le pont de bois, il y a toujours Mathurine ou sa sœur qui garde ses vaches dans l'un des prés qui le bordent. Faire le détour par le petit bois qui longe le ruisseau. Ne pas marcher dans le chemin, mais le suivre de l'autre côté de la haie. Prendre le chemin qui monte vers la vieille ferme des Buissons, plus personne n'y passe... J'avais des ruses de braconnier. J'attendis longtemps, cachée derrière la haie, à l'écoute, avant d'oser traverser le chemin pour rejoindre la grange, quand j'aperçus son toit de chaume dépassant d'un bouquet d'arbustes. Personne ne pouvait m'avoir vue, à moins d'être caché lui-même. L'intérieur de la grange était si obscur qu'au sortir du grand soleil je ne distinguais rien. Je n'avais fait aucun bruit : seule la porte avait grincé. Rien ne bougeait. Vous devez vous ressouvenir qui j'étais : cette fille sage, timide, qu'on avait délicatement élevée dans un château, et dont l'enfance avait été tenue éloignée de

143

tout désordre, de tout danger. C'est le silence et l'immobilité qui me remplirent de frayeur. J'avais pensé à tout, sauf à cela : je crus qu'il n'y était pas, qu'on l'avait pris. J'allais appeler : comme on apprend à être habile, dans le danger. Je n'en pouvais plus d'angoisse et de peur, et pourtant qui m'aurait crue capable de tant d'adresse ? Je me retins : ne pas crier, ne pas prononcer son nom, dire quelque chose d'indifférent pour faire reconnaître ma voix.

« Y a-t-il quelqu'un ici ? »

Et comme rien ne bougeait.

« Je suis seule... »

Aussitôt, il y eut un bruit de paille froissée et j'entrevis tout en haut, dans la pénombre, son visage, puis ses bras qui faisaient de grands moulinets pour se dégager. Il se laissa glisser jusqu'en bas, entraînant avec lui une avalanche de foin sur laquelle il se reçut en pirouettant. Il riait.

« Tu es venue... Je craignais tant que tu le fasses, et j'avais si peur que tu ne le fasses pas... »

Je le fis taire avec ma main sur sa bouche. La pensée que quelqu'un ait pu me suivre me tourmentait encore. Mais il se dégagea par un baiser.

« Viens. »

Il me saisit par la taille à deux mains et me fit escalader l'énorme meule en me poussant devant lui. Je glissais, je remontais, je l'entraînais dans ma chute :

cela nous donna deux minutes de fou rire silencieux, deux minutes pendant lesquelles la vie redevint plaisante, amusante, presque heureuse. Depuis qu'il était revenu, c'était la première fois que nous étions ensemble, je n'ose dire à l'air libre, mais du moins dans un lieu qui ne fût pas notre chambre obscure. Il y avait des rayons de soleil qui lançaient des flèches à travers les claires-voies de la grange. On pouvait presque croire que nous étions libres. Deux minutes à peine : car aussitôt que nous nous sommes retrouvés au sommet de cette montagne de foin, tout contre le chaume du toit, sous la grosse poutre, les pensées inquiètes nous ont vite rattrapés. Nous sommes demeurés sans parler, longtemps, je ne sais combien, à demi ensevelis dans le foin chaud et piquant. Je le tenais de toutes mes forces. Je sentais ses bras dans mon dos. Non seulement nous ne parlions pas, mais nous essayions, j'essayais et je suis sûre que lui aussi essayait de ne pas penser : nous faisions silence jusque dans nos têtes. Si longtemps, si longtemps auparavant, dans cette même grange, sous ce même chaume, dans ce même foin, si insouciants, nous découvrant l'un l'autre tout en nous récitant des phrases de roman. C'est à cela qu'il ne fallait peut-être pas penser : mais c'est à cela que nous pensions. Lui, Jean-Jacques. Moi, Héloïse. Plus de père. Plus de mère. Quatre morts pour nous deux. Nous n'avions plus au monde, chacun, que l'autre : et nous savions

que nous étions là pour nous quitter. Je me disais :
« N'ouvre pas les yeux, Héloïse. N'ouvre pas encore les
yeux. » Et je les ai ouverts. Il avait l'air de dormir. Je
distinguais à peine son visage. Je sentais sa barbe rêche
contre ma joue.

« Qu'est-ce que tu vas faire ? »

C'est moi qui ai parlé la première. Il n'a pas
répondu. Il ne bougeait pas. Il n'ouvrait pas les yeux.
Il était plus fort que moi. J'ai refermé les miens. Je ne
sais combien de temps nous sommes restés ainsi. J'ai
encore parlé :

« Je t'ai apporté du pain et du fromage, avec du
lard. »

Il a tourné la tête et m'a regardée. Il a passé sa main
sur ma joue en murmurant :

« Mon pauvre amour... »

Alors j'ai dit une phrase de roman :

« Il ne peut pas y avoir " pauvre " quand il y a
" amour ". »

C'est la dernière phrase de roman que j'aie eu à
prononcer. Mais en était-ce une ? Puisque c'était vrai.
Il me dit que j'avais raison et m'embrassa, puis
m'expliqua qu'il reviendrait me chercher, que je ne
devais pas m'inquiéter pour lui, qu'il allait rejoindre
d'autres fugitifs dans la forêt, dont il devait seulement
découvrir la cachette. Mais il a prononcé un mot de
trop, celui dont je ne voulais plus : attendre.

146

« Je veux partir avec toi. »

Je savais tout ce qu'il allait me dire, et qu'il m'a dit. Il m'a parlé des dangers de cette vie vagabonde et démunie. Une fille ne pouvait pas vivre là-bas, dormir dans les taillis, parmi les hommes qui fuyaient la conscription. En partant, j'apporterais la preuve de son passage, dont on n'était pas sûr puisqu'on ne l'avait pas trouvé. Ils feraient du mal à grand-père. Je savais tout cela.

« Et si tu attendais un enfant ?

— Ce serait un homme des bois, comme son père. »

Il rit. Je caressai sa barbe d'homme des bois. Je savais bien que je ne partirais pas.

« Je t'apporterai à manger.

— Mais tu ne sauras pas où je suis. Tu ne dois pas le savoir.

— Je cacherai des provisions. Tu viendras les chercher la nuit. Je t'écrirai des lettres que je cacherai dans un tronc d'arbre... »

J'ai eu soudain le souvenir de toutes ces lettres que nous nous écrivions, trois, quatre fois par jour, pleines de mots, pleines des phrases légères et douces comme les baisers que nous ne nous étions encore jamais donnés, ces lettres qui avaient brûlé sans doute avec le reste de mes affaires, sur la place. « Futilités », disait « l'homme en noir ». Est-il vrai que les événements ne nous changent pas ? C'est ce que je vous disais tout à l'heure. Est-ce vrai ? Etait-ce vraiment nous, ces deux jeunes gens aimables qui s'écrivaient des lettres ? Etait-ce vrai que nous étions « futiles » ? Non, Monsieur, je le sais, je le jure, nous ne l'étions pas. Nous ne l'étions pas dans cette grange, dans cette nuit mouillée, où pour la première fois nous nous découvrions la vérité de nos cœurs et de nos corps. Tandis que remontaient ces souvenirs de douceur et de grâce, je sentis enfler au fond de moi et jusqu'à m'étouffer, une force que je n'avais jamais ressentie auparavant, une sorte d'énorme colère. Qu'est-ce que nous faisions de mal ? Qu'avions-nous fait de mal ? A qui portions-nous tort ? Qu'avait-on à nous reprocher ? Je serrai la main de Jean-Jacques. Je roulai ma tête contre lui avec quelque chose comme un râle. Il passa sa main dans mes cheveux.

« Tu vas rester avec grand-père. Tant que tu seras auprès de lui, ils ne toucheront pas à lui. Tant qu'il sera là, il n'y aura pas de danger pour toi. Ne t'inquiète pas : ils ne m'attraperont pas... »

Mais j'étais toute à ma colère.

« Mais pourquoi te cherchent-ils avec tant de fureur ? Qu'est-ce que tu leur as fait ? Qu'as-tu fait à ce meunier ? »

Je vis Jean-Jacques s'allonger de nouveau dans le foin, la main derrière la tête, et demeurer ainsi immobile, sans me regarder, et sans me répondre. Puis il murmura :

« C'est qu'il a peur, le pauvre... »

Et en se relevant sur le coude :

« Il a peur pour son château. »

Il commença un long monologue entrecoupé. Par lambeaux, très lentement, comme en se parlant à lui-même, il se mit à me dire des choses qu'il ne m'avait pas dévoilées quand nous étions ensemble, et que je ne comprenais pas. « Comme c'est intelligent... » Nous ne nous touchions plus. Il regardait, droit au-dessus de lui, la grosse poutre du toit, si proche à cause de la hauteur du foin où nous étions presque enfouis qu'en levant le bras il pouvait la toucher du bout des doigts, tout en parlant à voix basse : « Les Biens Nationaux. Les Biens du clergé. C'est très malin... » Il paraissait remuer chaque pensée à mesure qu'il la découvrait. Il la soupesait longuement avant de la dire.

« Ils ont distribué la terre. Ou plutôt : ils l'ont vendue. Ce n'est pas grand-père qui aurait pu l'acheter, ni aucun de ces pauvres gens. Eux resteront pauvres... »

Je ne comprenais pas de quoi il parlait, ni l'enchaînement de ses bribes de phrases. « On n'accroche pas les gens avec des cadeaux... » Le ton de sa voix devenait dur. « Tu savais cela, toi ? » Et toujours sans me regarder : « Moi j'ai cru pendant toute ma jeunesse

149

(il parlait de sa jeunesse comme s'il avait cent ans) qu'avec des dons, des bienfaits, des largesses, on se les attachait. Eux, ils ont compris qu'il faut d'abord les faire payer. Alors, ils se battent. »

Il donna un coup de poing à la poutre au-dessus de sa tête.

« Ils verront tuer sous leurs yeux leurs voisins et leurs amis, ils prendront eux-mêmes leur hache et leur faux, parce que ce qu'ils ont payé est à eux. En vendant aux riches paysans la terre des nobles et des prêtres, on a produit les plus sûrs des révolutionnaires. Les seuls qui soient sûrs. »

Et après un silence :

« Mais ce n'est plus la Révolution. Comprends-tu pourquoi ils m'ont envoyé en Vendée tuer les paysans ? Parce que c'étaient des paysans, justement, mais si pauvres qu'ils ne pouvaient même pas devenir des révolutionnaires propriétaires. Tu comprends cela ? Non, tu ne comprends pas. »

Il ouvrit les yeux et tourna la tête vers moi. Il prit ma main et la baisa.

« Nous avons tout perdu, mon pauvre amour... »

Et en reposant sa tête :

« Je ne parle pas de mon château... »

Alors, avec une violence dans la voix qui me fait encore mal quand je vous le répète :

« Si on voulait me tuer parce que je suis noble et que

j'appartiens à un monde qu'il faut détruire et supprimer, je me battrais, je me défendrais, mais j'accepterais d'être tué. Mais je ne peux pas accepter de mourir seulement parce que je gêne. Tant que j'existe, tant que je respire, on peut croire que je vais venir contester ce que le meunier a payé avec des assignats. Tant qu'il n'aura pas vu mon nom sur une liste de morts, de guillotinés ou de massacrés, il aura peur. Comme il aura peur, il fera peur à d'autres, parce qu'il a besoin de malheureux portant des piques et des bonnets rouges pour le rassurer et courir pour lui à la chasse aux rats. Mon château, je l'aurais donné pour rien à condition d'avoir une chaumière et toi dedans. Tu le sais, n'est-ce pas ? Mais lui ne le sait pas, et s'il le savait, il ne le croirait pas. Il y a cinq ans que j'ai dit cela à mon père, dans son cabinet, quand il m'a dit que ma noblesse ne me permettait pas de vivre avec celle qui avait partagé ma nuit, ici, dans cette grange à foin. C'était bien avant la Révolution. Bien avant la guillotine. On a guillotiné mon père. Moi j'ai fait la guerre. Je m'appelle Jean-Jacques et je porte le nom de celui en souvenir de qui on se bat pour la liberté. C'est mon père qui me l'a donné, tout noble qu'il était. A Jemmapes, je me suis battu pour la Révolution. Maintenant, je vais me battre pour moi. »

Il ajouta, en baisant de nouveau ma main qu'il n'avait pas lâchée :

« Et pour toi. »

Et encore :

« Et pour les enfants que tu auras de moi. »

Brusquement, il se leva :

« Il faut que je parte. »

J'ai voulu le retenir par sa manche. Je voulais le retarder, j'ai cherché quelque chose à dire, et sans le savoir j'ai encore posé la mauvaise question :

« Mais comment ont-ils su que tu étais là ? Qui leur a dit ? »

Il m'a regardée sans répondre. Je suis sûre, Monsieur, je suis sûre d'avoir lu dans ses yeux qu'il le savait. Il n'a rien dit. Je ne l'ai su moi-même que bien plus tard : c'était Jacquot. Pauvre Jacquot... Lui aussi avait peur. Il y a quarante ans que je me reproche d'avoir gâté les dernières minutes que nous avions à passer ensemble avec des soupçons. Heureusement Jean-Jacques était ce qu'il était. La méchante pensée que j'avais insinuée en lui avec ma question s'est aussitôt transformée en une bonne. Je l'avais fait se ressouvenir de la trahison : il retourna la trahison comme un doigt de gant et la changea en gratitude.

« Quand tu verras Gaspard, dis-lui merci pour moi. Sans expliquer, pour qu'il n'ait pas d'embarras. »

Déjà, il se laissait glisser le long du tas de foin. Il me tendit les bras pour me faire descendre, et me garda serrée contre lui.

« N'aie pas peur. Je reviens vite te chercher. »

Il me repoussa doucement et se retourna vers la porte.

« Regarde dehors s'il n'y a personne. »

Je suis sortie, j'ai fait quelques pas sur le chemin, j'ai regardé par-dessus la haie. J'ai trouvé quelque chose encore pour le retenir :

« Ne devrais-tu pas attendre la nuit ?

— Je ne trouverais plus mon chemin dans la forêt. Il faut que je parte.

— Ton pain... J'ai mis aussi le couteau de grand-père... »

Il me sourit et ramassa le paquet de provisions que j'avais déposé près de la porte. Au dernier moment, pendant qu'il refermait son bissac, j'ai couru à ma cachette, j'ai pris mon livre.

« Emporte-le. Tu le liras dans la forêt en pensant à moi. »

Il l'ouvrit et, une dernière fois, il sourit :

« *La Nouvelle Héloïse*... Mais je n'en ai pas besoin. Il n'y a qu'une Héloïse. Je n'ai plus besoin de l'histoire des autres... »

C'est moi qui ai boutonné son habit. Je ne voulais pas regarder son visage, parce que j'avais peur de me remettre à pleurer. Alors je regardais les boutons de son habit, l'un après l'autre, et je boutonnais. Je ne voulais pas pleurer devant lui pour ne pas lui ôter son courage. J'avais si peur d'éclater en sanglots que je l'ai presque poussé dehors pour pouvoir le faire sans qu'il me vît. La porte de la grange s'est refermée, rabattant sur moi l'obscurité. Je me suis laissée tomber dans le foin, mon livre à la main.

C'est tout, Monsieur.

Composition Bussière,
et impression S.E.P.C.
à Saint-Amand (Cher), le 2 novembre 1993.
Dépôt légal : novembre 1993.
1ᵉʳ dépôt légal : juillet 1993.
Numéro d'imprimeur : 2743.
ISBN 2-07-073604-0./Imprimé en France.